For A.⟨⟩ S0-AJE-629

and a reunion in Providence

with admiration

and affection

Jack

September 1975

1

Les Lettres Nouvelles
publication
dirigée par Maurice Nadeau

John
Hawkes
La mort
le sommeil
et un
voyageur

roman
traduit de l'américain
par Jacqueline Bernard

Les Lettres Nouvelles
26, rue de Condé, Paris 6ᵉ
Denoël

Titre original : *Death, sleep and the traveler*

© 1973, 1974 by John Hawkes
publié par New Directions, New York
et pour l'édition française
© 1975 by éditions Denoël.

Ursula s'en va. Vêtue de son strict tailleur gris, de son chapeau de jardinage, de sa gaine, de sa robe d'intérieur, de sa terne robe de soie, de son chemisier noir, de ses bas, de ses escarpins rouges, portant à chaque main une valise d'osier remplie avec soin, voilà comment elle me quitte.

Si elle s'en va enfin, ce n'est pas à cause de ce qui s'est passé sur le bateau ou à cause du procès, qui a été depuis longtemps englouti dans les méandres humides de sa propre conclusion, mais parce que je suis, en fin de compte, un Néerlandais. Avec sa jupe de guingois, son élégante redingote noire serrée qui tombe en plis presque jusqu'à ses chevilles et avec ses mèches qui volent au vent, son chignon noir sculpté derrière la tête, une cigarette allumée entre ses doigts pâles, et avec des valises ceinturées tenues légèrement en main, ainsi s'en va-t-elle — parce qu'elle n'aime pas les Hollandais. Oui, Ursula s'en va à la recherche de quelqu'un de très différent de moi. Un Africain, dit-elle, ou un

Grec fantasque. Si elle ne m'avait pas forcé à m'embarquer seul sur le navire blanc, la paix régnerait peut-être encore entre nous. Mais bientôt elle n'existera plus pour moi, ni moi pour elle, et lorsqu'elle franchira la porte d'entrée je serai seul dans la cuisine, debout, une main immobile sur un carreau de faïence, mon large visage mou pressé contre la vitre. Durant un moment j'apercevrai son auto, conduite par elle ou par un autre, puis ma femme ne sera plus là.

Pourquoi n'est-elle venue me soutenir devant le tribunal que pour finir par m'abandonner ? Pourquoi a-t-elle attendu tout ce temps pour me dire que je suis incapable de « réciprocité émotionnelle » et qu'elle ne peut souffrir ma nationalité ? Pourquoi a-t-elle refusé de m'accompagner sur le navire blanc, m'abandonnant ainsi à la mort, au sommeil et à l'angoisse des voyages solitaires ? Il y avait sûrement quelque chose de plus que l'ennui et son aversion pour les jeux du bord. Peut-être était-ce un autre homme. Peut-être sera-t-il bientôt au volant de l'auto de ma femme.

Pour moi il n'y a que le goût de l'eau froide, la sensation du verre contre ma joue lourde et un bruit de vagues.

*

Dans l'obscurité le bateau roulait comme une bouteille couchée sur une mer d'huile. Suant dans la chaleur de la nuit, sentant la tiédeur de la rambarde du navire dans la chair de mes avant-bras, tirant sur mon petit cigare hollandais, et contemplant de haut les messages phosphorescents qui naissaient et ondulaient dans les vagues noires, soudain je sus que le bateau n'avançait absolument pas. Constatation saisissante. L'instant d'avant, je suais et je fumais appuyé contre la rambarde, voyageur le plus réticent qui fût jamais parti en croisière d'agrément, et l'instant d'après j'étais penché sur la barre d'appui polie, envahi par la soudaine certitude que le bateau, quoiqu'il roulât, demeurait immobile ou au mieux dérivait imperceptiblement. Comment était-ce possible ?

Je sentais le sel qui chargeait l'air marin nocturne tout comme l'océan autour de nous, je voyais en bas les traits de phosphore et, non loin de mon épaule gauche, une épaisse peau de rosée soulignant les contours de la proue d'un canot de sauvetage blanc. J'entendais le rythme persistant d'une manette de radio cliquetant dans les ténèbres. Et pourtant je savais que le navire s'était arrêté. Mais pourquoi ? Comment ? Même les bateaux de croisière, si dépourvus de but soient-ils, ont pour consigne de se maintenir sous pression et de rester en marche, du moins à la vitesse minimale, quand ils sont en haute mer. Stopper, perdre son erre, ne pouvait que mettre le bâtiment en grand danger. C'est alors qu'une main toucha ma manche, une voix se fit entendre et mon cigare fraîchement allumé tomba et fila s'éteindre en grésillant dans la mer nocturne.

« Allert, dit la jeune femme, venez donc avec moi et les autres passagers danser dans la salle à manger ! »

Mon prénom hollandais a pour équivalent anglais Alan. Mais en néerlandais, malgré l'accent sur la première syllabe, c'est nettement un support pour le mot anglais « alerte », comme si ce nom était un réceptacle d'argile millénaire contenant une paranoïa recroquevillée comme un squelette d'enfant. Pour ma part, j'ai toujours été alerte.

*

« Peter, dis-je à mon ami le plus ancien et le plus intime, maintenant, après tant d'années, je voudrais que tu couches régulièrement avec elle. C'est ce qu'elle attend de toi, ce qu'elle attend de tous les hommes ; elle a besoin que tu lui fasses des avances pressantes et suivies. Oblige-la à faire plus que de céder. Elle passe sa vie à bouder, à se consumer et à attendre des occasions de céder. Mais une fois prise au jeu c'est une amoureuse extrêmement active, le genre de femme qui conduit au suicide. Et tu lui plais. Nous avons déjà tiré cela parfaitement au clair, tous les deux. »

J'ai posé mon cigare dans le cendrier de faïence blanche, regardé mon ami et souri. Derrière son dos, à travers les larges fenêtres, un soleil tardif balayait des kilomètres de neige. A ce moment, Ursula, ma femme, entra dans la pièce et s'affala dans un fauteuil de cuir blanc dans une position qui révélait à mon ami et à moi le gras tendre du haut de ses cuisses ainsi que la promesse de son mystère négligemment dissimulé. L'idée me vint alors que mon ami et ma femme étaient peut-être plus intimement accordés l'un à l'autre que je ne l'avais cru. Mais il n'y avait aucun mal à pousser Peter vers l'inévitable, même s'il l'avait découvert depuis longtemps.

« Ursula, dis-je, sais-tu de quoi nous venons de parler ? »

Elle appuya sa joue dans la paume d'une main,

laissa choir l'autre contre l'entre-jambes blanc, plein et à peine visible de son slip, et me regarda à travers la pièce, les yeux lascifs. Même de la distance où j'étais je sentais le savon et l'odeur aigre d'entre ses jambes épaisses. La simple pensée que j'avais dans l'esprit suffisait à la rendre moite.

Plus tard, elle décida que j'avais besoin de m'embarquer seul en quête de plaisir.

*

Il y a, concentrée autour de mon nombril, une petite éruption circulaire rouge. Au départ c'était quelques plaques tachetées de carmin grumeleux, à présent cela forme un large anneau rouge soudé encerclant totalement la petite île intacte du nombril. Cette mycose, car c'en est sûrement une, a la consistance de la chair blafarde d'une fraise mouillée, et elle s'étend. Bientôt cette excroissance légèrement suintante et pourtant indolore couvrira toute la surface de mon ventre rond. Peut-être ai-je attrapé le germe infectieux alors que j'étais allongé quasi nu au bord de la piscine du navire, en train de regarder, en me protégeant de mes bras croisés, le corps lentement brunissant de la jeune femme qui plus tard m'affronta un jour dans sa cabine, un crâne de chèvre cornu masquant son sexe.

*

Le proche anéantissement de ce que nous avons connu ensemble est inéluctable, ne ressemble en rien à une amputation et n'est certainement pas une affaire de moralité. Ursula n'aime pas mon nom, mon gabarit imposant, mon empire sur moi-même, mes caractéristiques nationales superficielles, mon habitude de fumer le cigare, mes rêves, mon affectueux attachement à une certaine ville hollandaise, mon intérêt pour les mythes et les pratiques sexuelles, ma bonhomie, mon sens de l'humour qui, tels les éléments les plus aguichants de l'anatomie humaine, n'émerge qu'à de très rares occasions, éclatant et paré de vert. Je lui déplais surtout, dit-elle, parce que je n'arrive pas à répondre émotionnellement à ses désirs. Moi, j'éprouve de la rancune et de l'admiration pour sa constante incandescence, de la rancune et de l'admiration pour sa lassitude qui est une invite sensuelle, de la rancune et de l'admiration pour son ennui qui est un refus. Il y a des moments où je déteste plus que tout au monde la négligence avec laquelle l'ourlet de son bas godaille sur sa cuisse soulevée, ainsi que la lourdeur de ses seins, sa taille fine, la largeur de son ventre, la terrible harmonie de son corps vagabond et de son esprit invincible. Je n'aime pas son égocentrisme, la brutalité de ses interprétations psychologiques, sa voix douce, ses jugements personnels sévères, sa provocation sexuelle consciente, son habitude de caresser ses bouts de seins grenus, sa patience, son intelligence, son sourire çà et là distribué, ses semaines de dépression. Et pourtant nous nous sommes donné l'un à l'autre liberté, passion, tendresse et réconfort. Nous avons en commun un long mariage.

*

Je m'éveillai. Le hublot était à demi ouvert et, au clair de lune, strié de sel. Mes lèvres l'étaient aussi, et les vêtements entassés sur la chaise voisine ou jetés à terre, et le drap, raide et argenté sur nos deux corps. Le tout incrusté de sel et amer, comme si nous avions dormi le hublot ouvert pendant un violent orage.

J'étais réveillé, une crampe me pliait la jambe gauche, le corps à côté de moi était menu, la cabine n'était pas la mienne. L'obscurité, le reflet d'un crochet de cuivre près de la porte à claire-voie, la jeune fille dont je sentais sans le voir le sommeil nu, et le sel, le clair de lune, tout cela me rendait de plus en plus certain que la petite cabine inconnue où nous étions couchés avait été momentanément vidée de l'eau de mer noire qui la remplissait. L'oreiller était humide. Mais quoi d'autre ? Quoi d'autre ?

« Grand Dieu, chuchotai-je, Grand Dieu, nous avons encore stoppé. Le bateau n'avance pas. »

Elle murmura quelque chose et se blottit plus près. Sa petitesse, sa jeunesse et sa nudité étaient pelotonnées dans le noir contre ma poitrine et mes cuisses raidies, à présent en sueur. Je sentis sa langue minuscule et mouillée me lécher le doigt. Mais le bateau était dépourvu de feux, cela au moins je le savais, et à l'abandon sur une mer si calme que le long des délicates plaques de tôle blanches ne montait pas le moindre frémissement susceptible d'évoquer pour moi, dormeur à présent conscient et en alerte, la réalité des vastes flots. Aucun cliquetis de transmission radio, pas de message du vibraphoniste du bord à moitié ivre. Rien. Tout autour de moi je sentais les ponts déserts, les canots de sauvetage vides, la rupture entre la lune montante et les flots obscurs. Et je me débattais vainement pour dominer une peur que je n'avais jamais connue jusqu'alors. Sans aucun doute le problème concerne deux entités cosmiques, me dis-je : la mer, qui est incompréhensible, et le bateau, incompréhensible aussi sur le plan mécanique, mais qui, de plus, se trouve soudain privé de but et, par suite, de signification dans la nuit chargée d'un pouvoir destructeur. Qu'un but, fût-il arbitraire, soit éliminé d'une pareille situation ou absent de la confluence de deux entités cosmiques, me dis-je, et c'est la terreur.

« Ecoute, chuchotai-je, ça recommence. Le bateau n'avance pas. »

Dans l'obscurité, allongé, corpulent et nu dans un lit étranger, un goût de sel dans la bouche et percevant dans mon grand corps l'arrêt du bateau, je savais qu'il était déraisonnable en ces circonstances de parler comme je venais de le faire à la fille à mes côtés. Et pourtant je ne pouvais rien faire sinon promener mon haleine imprégnée de cigare sur son petit visage endormi. Je me sentais exactement comme un de ces officiers de marine d'autrefois en train d'attendre l'arrivée inévitable de la torpille fonçant à travers la nuit noire. La jeune femme m'avait choisi elle-même parmi tous les passagers, m'avait déjà témoigné en outre plus d'amitié que qui que ce soit au monde et, dans sa petitesse, paraissait capable de supporter toute la souffrance ou la peur que ma présence pourrait lui infliger. Dès lors, j'avais l'impression curieuse de pouvoir en appeler à cette fille sans défense pour être immédiatement et efficacement rassuré. Mais attendant, écoutant, souffrant de cette crampe dans ma jambe, et totalement conscient de mon identification totale avec le bateau mort, je ne pouvais absolument pas retenir mon chuchotement pressant : « Nous sommes encalminés, dis-je tout bas, il faut que je monte sur le pont. »

Elle se blottit encore plus près et parla, quoiqu'elle fût tout à fait endormie. Puis elle saisit presque la moitié de mon doigt dans sa bouche. Soudain, miraculeusement, je compris ce qu'elle avait dit et je perçus dans tout mon poids et ma musculature froide le lent et pesant grondement des machines et l'indéniable rotation des énormes pales de cuivre de l'hélice dans les profondeurs au-dessous de nous. Les vibrations lointaines nous entouraient de toutes parts, me pénétraient comme si mon propre centre intestinal battait du pur mouvement de l'océan, avec la certitude absolue que le cerveau navigateur faisait sérieusement son travail. Nos bras étaient entre-croisés, mes doigts étaient quêteurs mais fermes, les rêves de la jeune fille étaient dans ma bouche. Mais la mer, constatai-je tout à coup, n'était pas calme, comme je l'avais cru, mais agitée.

*

« Allert, disait Ursula, ce dont tu souffres, c'est d'être un infirme psychique. Tu ne ressens rien. Je voudrais que, pour une fois, tu sois vraiment obsédé. Si tu étais obsédé, je pourrais au moins te trouver intéressant. » Mais Ursula se trompait. Je ne suis pas une sorte d'accidenté psychique. J'ai simplement envie de faire plaisir, envie d'exister, envie que les autres existent avec moi, mais j'ai de la peine à croire au décor et aux personnages sur la scène. Et puis, l'échec me fascine.

Mais pourquoi s'en va-t-elle ?

*

Le soleil emplissait la salle à manger, la blancheur
du navire était partout. Les énormes baies vitrées étin-
celantes, la nappe blanche sur notre table de huit
couverts, les grandes dalles vertes de la salle à manger
où nous attendions le second service du déjeuner, la
verrerie, l'argenterie et même l'uniforme blanc réglementaire du jeune officier-radio assis à côté de moi
dans une posture vulgaire, tout resplendissait de la
blancheur du navire et de l'éclat du soleil. C'était
un moment de lumière parfaite, peu après le
deuxième gong du déjeuner, en ce jour éclatant et,
au-delà de l'insularité frivole mais plaisante de la
salle à manger, le mouvement du bateau était remar-
quablement rythmé par le sifflement des câbles,
par un drapeau raidi au-dessus de la proue, par
les faibles ondulations agréablement irrégulières de
la proue acérée sur l'horizon immobile et fictif. Et
de la poupe l'écume de notre sillage reconnaissable
se propageait, très pure, dans le long chemin blanc
et cahoteux de notre vitesse nautique évanescente,
toutes choses que je savais fort bien à ce moment,
puisque j'avais passé exactement une heure, avant le
deuxième gong du déjeuner, debout, seul à la poupe
du navire, à me gorger de la réverbération, du vent
et du goût salé de notre passage vigoureux mais
éphémère.

Le menu annonçait du consommé servi dans des
coupes d'argent. Sans ce menu imprimé, sans le
souvenir de cette heure passée à l'arrière, je pense
que je n'aurais pu rester une seconde de plus à
attendre ce premier repas à notre table de huit cou-

verts. A l'instant où je m'en rendis compte, j'imaginai le consommé devant nous, chaque coupe argentée portant sa garniture de cresson comme une île verte à la dérive dans une mer d'ambre, et je détournai mon visage rubicond du menu, je sentis mes aisselles devenir soudain sèches, et je souris tour à tour à la plupart des convives assis à notre table située un peu en retrait.

La jeune fille qu'Ursula m'avait fait remarquer la veille était, par une ironie du sort, assise juste en face de mon voisin, le jeune officier du navire, donc presque exactement en face de moi. Comme les autres, elle examinait son menu. Son verre à pied était vide ; avec une soudaine et tranquille intensité je m'aperçus que, de son soulier blanc mal ciré, le vulgaire jeune officier-radio cherchait le petit pied en sandale de la jeune fille. Son acte m'offusqua, je fis mine de remettre en place la serviette étalée sur mes genoux. Ni l'eau ni le consommé n'étaient encore arrivés. La jeune fille dut s'apercevoir de ce qui me tourmentait car dans le court instant qui suivit, tandis que je brisais de mes deux pouces la croûte congelée, vitrifiée, d'un petit pain, elle me regarda droit dans les yeux comme si elle allait sourire. Ses cils me firent penser à des mouches grimpant le long d'un mur.

« Je suis hollandais, pas suisse », dis-je en réponse à quelqu'un. « Mais on commet souvent cette erreur à mon sujet. »

Le bateau vira légèrement de bord, le soleil scintilla, deux hommes en habit noir commencèrent à déposer devant nous les coupes d'argent basses et plates pleines du consommé tiède avec sa garniture verte, et des morceaux de citron ratatinés. Je reconnus

intérieurement que le potage méritait un commen-
taire.

« Ce consommé, dis-je à mi-voix, a été siphonné
sur le dos de lourdes tortues dont on a percé les carapaces pitoyables pour y introduire des tubes. »

Le silence, la vibration du cristal, le clapotement
de l'eau dans les verres, les têtes penchées, le soleil
sur les épaules nues de la jeune fille vêtue d'un pantalon et d'un bain de soleil, tout me disait que je
n'aurais pas dû parler, pas dû en une hyperbole
révéler ma solitude, mon aversion pour les voyages,
les sentiments ambigus que m'inspirait la jeune fille.
A nouveau je jetai un coup d'œil sous la table et je
vis que le soulier négligemment barbouillé de blanc
était maintenant pressé contre le pied très petit et
nu de la jeune fille. Par des mouvements de la plante
du pied et des orteils, elle encourageait les avances du
jeune officier-radio et répondait même à son attou-
chement.

Le bain de soleil de la jeune fille était serré, trian-
gulaire et bleu foncé sur la partie de sa poitrine enfantine qu'il recouvrait. Le poignet de la veste blanche
de l'officier-radio était éraillé et non seulement éraillé
mais pas net, maculé par une tache de je ne sais quel
produit lié à son travail d'opérateur-radio. La jeune
fille était quelconque et pourtant singulière, l'officier,
lui, d'un type banal, un jeune homme brun, négligé,
qui devait se choisir une fille à chaque croisière
vagabonde. Je connaissais ce type d'homme et ne fus
pas surpris de voir les doigts rudes de sa main droite
déplacer sans cesse ma fourchette d'argent ou effleu-
rer le bord de mon assiette encore vide. Tandis que
son pied dissimulé s'occupait à séduire, sa main droite

visible se faisait provocante, le tout pour le bénéfice de la jeune fille assise en face de nous, attentive.

La cuillère aux lèvres, mon regard croisant sous un curieux angle celui de la jeune fille, observant une haute et transparente vague d'embruns derrière la vitre la plus proche et une variété de teintes pâles dans l'écume légère, j'entendis quelques notes de vibraphone et soudain je me rendis compte que l'insolence de l'officier allait dépasser largement ce que j'avais imaginé. Sa main quitta la table. Sa main glissa de la table de manière à attirer mon attention, mais la mienne seulement. Pour glisser cette main dans la poche de sa vareuse blanche froissée, il fit un mouvement tel que son coude plié toucha mon bras lourd discrètement en retrait. Exprès. Pendant un instant je me demandai quel âge avait la jeune fille, j'entendis un saxophone aboyer dans le lointain, je songeai aux deux grosses ancres noires pesantes, mouillées et ruisselantes qui pendaient, cadenassées, comme des instruments de torture monolithiques, à la haute proue du navire.

— Demain, nous toucherons terre, dit l'officier à la jeune fille en continuant à fouiller lentement dans sa poche et à envahir le temps de mon déjeuner avec la pointe intentionnelle de son coude.

— Déjà ? Je croyais que nous n'allions rien voir pendant plusieurs jours.

— Première escale demain. Il y aura des chevaux et des voitures pour faire des excursions.

Je sentis encore le coude insistant. Je baissai les yeux. Je vis la main de l'homme posée sur sa cuisse et, brillant dans le creux de sa paume qu'il inclinait hardiment vers moi, la petite photo glacée, jaune et fanée. Je fronçai les sourcils, la jeune fille souriait, je reposai ma cuillère dans le bol. Je jetai un coup d'œil sur ce qui était manifestement un spécimen de pornographie très suranné. La cellulose craquelée et deux petites silhouettes blanches gélatineuses reposaient au creux de la main de l'homme, encadrées par sa paume, et à présent il riait en regardant la jeune fille et il tordait et faisait cligner sa petite image vieille et rabougrie, comme s'il s'attendait que je la prenne entre le pouce et l'index pour la faire glisser subrepticement dans ma propre poche blanche. Il se mit à passer son pouce grossier sur les deux petits nus figés comme pour les débarrasser d'une couche de poussière invisible. Je posai ma serviette, repoussai ma chaise, pris congé.

— Demain, dit la jeune fille au moment où je me levais, voulez-vous nous accompagner dans une des voitures ?

— Je vous remercie, répondis-je avec mon accent le plus marqué, peut-être.

Le bateau ondulait doucement ; fourchette et couteau en main, le jeune officier commençait à déjeuner. Je passai la journée du lendemain dans ma cabine, à écouter la rumeur du débarquement provisoire, à sentir la chaleur de la terre, la charpente du quai à travers l'acier du navire, et à songer que l'épaisse aussière jaune visible à travers mon hublot était au navire immobilisé ce qu'est une bouée de sauvetage pour un homme en train de s'embourber. Au moins l'aussière donnait-elle un sens à notre immobilité.

*

Il y eut des coups de gong, il y eut des sifflements, il y eut des coups de sirène sortant de tuyaux haut placés, des hurlements d'air comprimé. Même de l'endroit où nous nous tenions, Ursula et moi, ensemble sur le pont grouillant près de la passerelle, je voyais que le navire était haut, effilé et net, mirage fleuri et fleurant la peinture d'un proche départ vers l'autre bord de la terre.

« Tu vois », me dit à l'oreille Ursula en riant et en montrant de la tête la jeune femme penchée, l'air joyeux, au-dessus du bastingage, « tu ne seras pas seul longtemps, Allert. Pas longtemps. »

Je me retournai, je regardai de nouveau la jeune femme qui, penchée sur le bastingage, souriait à la foule sur le quai, au hangar de chargement, aux autres navires dans le port, à la fumée qui montait maintenant plus vite et plus noire des cheminées bleu pâle au-dessus de nos têtes. La jeune fille n'était avec personne, elle agitait la main vers le quai, mais sans s'adresser à personne en particulier. Et quand je me retournai vers Ursula, le sifflet de notre bateau retentit, et ses vibrations, remplissant pont, mer, ciel, os, poitrines nous arrachèrent au rivage familier.

« Elle prendra soin de toi », cria Ursula à mon oreille tendue, « tu verras. »

*

Dans mon rêve il y a une table en planches rugueuses, l'obscurité, une autre personne, une lumière qui ne vient de nulle part, et au milieu de la table des raisins rouge sang brillants et mouillés, empilés dans une jatte de terre. Nous sommes dehors et je n'ai pas d'appréhension. Et pourtant il me semble que les raisins, qui sont nettement au centre de

cette scène nocturne indéfinie, remuent faiblement
tout seuls, je ne sais comment. Il n'y a ni vent dans
l'air, ni étoiles. Les raisins attendent, massés, curieusement et légèrement mouvants. L'autre personne,
qui est une femme et se trouve bien au-delà du bord
de la table, ne m'invite pas à m'approcher des raisins, quoiqu'elle n'attende que cela. Oui, je suis
conscient de la présence de l'autre personne et la
vue du monceau de raisins rougeâtres à la peau tendue et mouillée me fait plaisir. Mais un changement d'humeur intervient, un changement de pers-
pective, car je suis maintenant près de la table dans
l'air tiède de la nuit et je m'aperçois que les raisins
sont différents de tous ceux que j'ai vus, car chaque
grain, au lieu de pousser au bout d'une courte tige
robuste comme dans une grappe normale, est attaché à son voisin en haut et en bas par de tendres
tubes presque transparents. Oui, les raisins sont empilés dans la jatte en un seul serpentin emmêlé et non
en grappes familières. Et maintenant je vois qu'ils
sont plus gros que de coutume, que leur peau lisse
est d'un rouge aqueux, qu'ils remuent nettement l'un
contre l'autre, qu'ils sont étirés, tordus, en des formes
étrangement allongées au lieu des sphères habituelles,
et cela parce que chaque grain contient un minuscule fœtus rougeâtre de la dimension du bout de
mon pouce.

Les raisins sont transparents, je vois les fœtus,
l'autre personne s'est sensiblement approchée pour
voir ma réaction devant les raisins qui se tortillent
maintenant comme un amas de vers de terre. En
dépit de leur couleur rouge pâle, ils restent violacés.
En dépit de leurs formes contrefaites, ils restent
luisants et gras. Mais lorsqu'une poignée suintante

est détachée du reste et soudain à demi écrasée sur
le bois de la table (par l'autre personne qui est manifestement ma femme), j'ai le cœur soulevé et je ne
puis manger.

Quand j'ai raconté ce rêve à Ursula, elle m'a
demandé comment on pouvait avoir peur de la vie
au point de faire un rêve aussi répugnant.

*

Nous appareillâmes d'Amsterdam, de Brême, de
Brest, de Marseille, de plus loin au nord, de plus
loin au sud, d'Amsterdam. La brochure décrivant le
voyage resta sur la table près de mon fauteuil pendant des semaines avant mon départ. Je sentis la
douce odeur de la poussière bien des heures avant
d'apercevoir pour la première fois la terre en regagnant ma cabine. Du quai encombré Ursula me fit
des signes d'adieu. Il n'y avait personne pour en faire
à la jeune fille appuyée à la rambarde. Rien ne
m'incitait à m'embarquer sur ce bateau. Je n'avais
pas envie de m'asseoir à côté d'Ursula dans l'auto
pour aller au quai de départ. Je n'étais pas attiré par
la rupture, le soleil, la mer, la géographie de la
séparation, les îles et des rencontres inattendues
dans des cabines pareilles à des tombeaux. Je n'avais
pas envie de faire la planche dans la piscine du
navire, qui était une parodie de la mer sur laquelle
il voguait. Je n'avais pas envie de naviguer. Mais
le retour fut pire que tout, car alors la jeune fille
n'était plus là. Mon intention est de ne jamais plus
regarder la mer houleuse, quoique j'en sois rempli
comme un sac de peau bourré de sel.

*

Dans mon rêve je suis doté, je ne sais comment,
d'un pénis très rare, le Pénis Nord, comme si les
divisions du compas étaient de sûrs indicateurs de
la puissance sexuelle, le nord étant au point maxi-
mum du cadran. D'abord je vois l'expression *Pénis
Nord* sur une enseigne au-dessus de la porte d'un
restaurant minable que je reconnais comme étant
un endroit où le vin est bon, puis je suis assis à
l'unique petite table branlante devant le restaurant
et je prends conscience d'une gêne subite causée par
mon pantalon et des sensations physiques que me
donne le rare Pénis Nord entre mes jambes. Le
garçon me regarde de travers, je ne puis partager
avec quiconque ma confusion et ma secrète satisfaction, je suis obligé de boire seul un demi-verre de
l'excellent vin.

Quand j'ai raconté ce rêve à Ursula, elle n'a rien
dit mais s'est penchée vers moi d'un air énigmatique
et a posé sa main sur ma cuisse. Plus tard dans la
journée elle a déclaré qu'elle trouvait surprenante
l'évidente insécurité sexuelle de mon rêve, mais elle
n'a rien voulu me dire de plus.

*

« Allert, dit-elle, tous les hommes ont de temps
à autre envie de se débarrasser de leur femme. Il faut
vraiment que tu fasses cette croisière. Et que tu la
fasses seul. »

Elle s'était détournée et se tenait face à la grande
vitre de la fenêtre en avancée, en sorte qu'au-delà

de son dos nu et de la fenêtre la neige s'étendait vers
l'ouest en une croûte blanche éblouissante sur des
kilomètres de distance.

*

Le troisième musicien jouait du vibraphone les
doigts nus, les jointures des phalanges déchirées
jusqu'à l'os et saignant sur son sentimental instrument
de percussion. Nous faisions route vers un houleux
coucher de soleil à son déclin. Je sortis sur le pont.

*

Il faisait si froid qu'une pellicule de glace s'était
déjà formée sur la surface de l'auto bleu roi de
Peter d'où s'échappait encore un peu de vapeur et
qui était garée à l'une des entrées de sa maison de
campagne. Le soleil couchant léchait la machine dure
et brillante, telle une grande bête invisible à genoux.
   « Ursula, pour toi », dit-il en lui tendant le
verre. « Et pour toi, Allert. Un verre en vitesse et
puis nous irons essayer le nouveau sauna. »
   « A votre santé », dis-je dans mon néerlandais
natal et je vis la lumière dure et mouillée du soleil,
qui commençait juste à baisser, dans la laque gelée
de l'auto derrière la fenêtre, dans le reflet métallique
des cheveux gris de Peter, dans la vitre, dans nos
gobelets, nos yeux, nos souffles encore visibles même
à l'intérieur de la maison généralement inutilisée.
Peter alluma l'énorme feu, nous bûmes. Les trois
petites valises — deux en paille assorties et une en
cuir raide et brillant — étaient posées les unes à
côté des autres dans l'antichambre. La cheminée avait

une odeur de suie mouillée, de forêt hivernale. Ursula buvait à petites gorgées et souriait.

« Bien, mes enfants, dit Peter, j'ai quelque chose qui va vous faire plaisir. »

Il remplit encore les gobelets et emporta la bouteille avec lui, de sorte que le froid du dehors et la violente lumière déclinante bondirent, comme fusionnés, sur les gobelets et les doigts, sur la bouteille et les voix mêlées, de sorte que l'auto, la maison et nous trois fûmes découpés dans la même impérissable substance de lumière et de glace. Nous riions, nous avancions en trébuchant les uns derrière les autres, Peter montrait le chemin avec la bouteille, qu'il tenait par son goulot gelé pointée devant lui, quoique le sentier fût assez apparent. Le soleil vira soudain à l'orange sur la hanche du pantalon collant d'Ursula, je ne sais pourquoi le son de mes pas me fit penser à ceux d'un meurtrier titubant. Vierge, faiblement visible, le sentier parcourait audacieusement le court trajet de la maison au-dessus de nous à la petite crique au-dessous, en contournant les bouleaux dépouillés et la neige craquelante à notre droite et en faisant un crochet vers le bas jusqu'au bord de la mer sombre et saumâtre à notre gauche.

La crique était étroite d'ouverture mais profonde, parfaite petite bourse gonflée rondement découpée dans les rochers et la neige de cette côte gelée, et juste au milieu de la rive s'élevait la cabane bâtie de neuf en rondins blancs écorcés et sentant les copeaux de bois, le goudron et la créosote. Elle n'avait pas de fenêtres, sa grande porte en planches était fermée avec un cadenas manifestement neuf, et pourtant une fumée verdâtre à l'odeur forte montait lentement de la cheminée. Les bouleaux nus du flanc de la colline dévalaient en masse la pente blanche jusqu'à la hutte, construite à quelques mètres seulement des rochers arrondis, de la bordure de glace, de l'eau salée brutalement noire. Les rochers grands ou petits me semblaient tous avoir la couleur et la texture d'un crâne humain exposé depuis longtemps à la neige, au soleil, à la pluie.

« Peter », m'écriai-je, humant la fumée verte et le bois frais, et sensible au contraste entre les arbres blancs, la neige et l'eau noire, « quel endroit parfait pour un sauna ! »

La porte se ferma derrière nous comme celle d'une chambre froide, comme si elle était épaisse de quinze à vingt centimètres. Nous vantâmes, Ursula et moi, l'impression de bien-être émanant de la solide petite cabane de rondins. L'intérieur sentait le cèdre, les fougères, les rochers polis et l'eau. Sur le tout flottait un parfum d'eucalyptus.

« Ursula, dit Peter, servez-vous donc la première du vestiaire. Puis nous vous succéderons, Allert et moi. »

Elle posa son gobelet et disparut. Elle revint le torse drapé dans une serviette blanche. Un court instant Peter et moi la laissâmes seule à incliner son verre froid vers ses lèvres et à contempler les fragiles cordes de flammes qui s'enroulaient autour de la bûche rougeoyante dans l'âtre gigantesque. Il ne nous fallut qu'un bref moment pour nous déshabiller, accrocher nos vêtements aux patères de bois comme l'avait fait Ursula et nous envelopper dans d'épaisses serviettes éponge blanches. Une des chaussettes noires de Peter tomba par terre. Les vêtements d'Ursula étaient entassés, masse soyeuse informe, sur la patère de bois.

« Vous avez l'air d'une paire de vieux Romains »,
dit-elle, et nous entrechoquâmes tous trois nos gobelets avec fougue.

Ursula avait retiré ses bijoux et elle était, très
évidemment, contente de se trouver là, debout entre
Peter et moi, dans sa serviette blanche dont elle
tenait le bord supérieur d'une main souple.

— Oui, Peter, dis-je, quelle intelligence d'avoir
situé cette solitude sensuelle au centre même d'une
si superbe désolation.

— Mais ce n'est que le début, mon ami. Tu vas
voir.

Et alors tranquillement, sérieusement, paisible-
ment, nous entrâmes dans le sauna. La lumière rose,
le sol dallé, les cloisons de cèdre, la tranquillité de
l'intense chaleur, l'odeur à présent entêtante d'eucalyptus, soudain le pouvoir de cette sorte de réclu-
sion langoureuse se révéla bien plus considérable
que je ne l'avais cru.

« Vous savez, dit Peter, le mieux est d'étendre les
serviettes sur les bancs et de s'asseoir ou de s'allonger
dessus. »

Ursula défit sa serviette, l'enleva, la posa sur les
lattes de bois chaudes entre Peter et moi et se pencha
lentement en arrière pour s'adosser à la cloison de
cèdre, les genoux au menton. Elle avait serré les
genoux par pur souci de confort, et écarté les talons
pour la même raison, ses yeux étaient ouverts et
calmes et ses lèvres, ses lourdes lèvres, agréablement
détendues. Elle ne cherchait pas à cacher ses seins
avec ses genoux quoiqu'en fait elle le fît. Déjà
apparaissait sur tout son corps une inflammation de
chaleur semblable à la coloration brutale de l'inflammation amoureuse, qui sur son cou et sa poi-

trine m'était périodiquement si familière. Je sus immédiatement qu'elle réfléchissait tout en rêvassant agréablement dans l'intense chaleur.

Nous étalâmes, Peter et moi, nos serviettes, lui prenant une position de yoga parfaitement rigoureuse à la droite d'Ursula, moi à demi allongé à sa gauche. Déjà la lumière rose s'était perceptiblement estompée tandis que le temps s'anéantissait dans la chaleur intense. Le dos droit, les muscles abdominaux visiblement contractés, les chevilles croisées, les mains sur ses genoux écartés, Peter s'était transformé en un vivant objet religieux uniquement érigé au profit de la coupe que formaient ses jambes repliées et croisées. Et dans cette coupe au creux de ses cuisses reposait l'agglomérat bombé de ses organes sexuels encore sommeillants.

Mon ami ne bougeait pas, sauf parfois pour se lécher les lèvres. Ursula demeurait molle et immobile. Moi, je reposais massivement étalé, l'avant-bras sur la serviette, la hanche contre Ursula, ma grande épaule lisse appuyée contre la cloison de cèdre. Nos yeux étaient secs, notre peau était sèche. Avec toute la netteté d'un rêve tranquille, notre immobilité faisait lentement place à des actes fragmentés : Peter versant à la louche de l'huile d'eucalyptus sur les pierres chaudes, Ursula souriant à l'aimable nudité du dos de Peter et glissant une main sèche entre ses propres cuisses, moi changeant de position, roulant sur le dos, les genoux levés, les pieds à plat sur la serviette et les mains croisées derrière la tête, Peter se retournant la louche à la main, Ursula glissant la main plus loin, plus fermement, plus délicatement, et se donnant du plaisir avec un doigt, avec plusieurs ; Peter reprenant sa position de yoga, Peter

versant l'huile d'arbres lointains, moi plaçant la
plante du pied droit contre la hanche d'Ursula, Peter
à nouveau assis, les mains sur les genoux et la
colonne vertébrale courbée, Ursula joignant les
talons, puis ouvrant largement les genoux et les bras
vers Peter, vers moi.

— Il faut se jeter à l'eau, dit Peter. Il ne faut pas
attendre plus longtemps.

— Le premier homme nu que j'aie vu de ma
vie, dit Uursula, avait une bitte qui lui descendait
aux genoux.

— Pour finir, on se frottera la peau, dit Peter,
avec des branches de bouleau.

Ivre, serein, je m'entendis prononcer : « Mais c'est
un mot hollandais, pas latin. »

La pièce était sèche. Nos corps étaient secs. La
chaleur était assez vive pour susciter des visions,
pour provoquer la mort. L'huile d'eucalyptus coulait, formait une pellicule lisse sur les murs et le
sol, nous graissait les mamelles et se transformait en
mousse épaisse entre nos jambes — mais invisible-
ment, silencieusement. De toutes les femmes que
j'avais connues, seule Ursula faisait ce clappement
étouffé parmi les autres sons de l'amour oral, et à
ce moment, dans la chaleur intemporelle du sauna
de Peter, j'entendis le clappement d'Ursula, je sus
que Peter et Ursula s'étaient enchevêtrés et désen-
chevêtrés, elle arrondissant en l'air son dos charmant,
lui, levant haut le menton comme pour faire cra-
quer sa trachée de l'intérieur, et, percevant ensuite
le silence qui s'insinuait parmi nous comme une
mare d'huile, tout à coup je sentis, violente et sourde,
la présence d'Ursula qui, avec un naturel parfait,
s'était tournée vers moi.

Sentis et entendis le bout de la langue, le bord de la langue, le plat de la langue, la douceur du dedans des lèvres, l'élasticité des lèvres fermement comprimées, le souffle d'une respiration grave, la succion passionnée du clappement, sensation en même temps que son, l'éraflure d'une dent blanche, le bout de son nez, le bord de sa joue, l'impression de sa tête tournée de côté et de sa bouche qui me happait, qui me portait comme un chien porte un bâton sacré, jusqu'à ce que j'éprouve l'ultime instant de la concentration mouillée d'Ursula — tendre, vibrante, d'un rythme saccadé — et que je me sente alors dégorger, me libérer, sombrer, me rouler lentement en une boule géante telle une énorme bête heureuse armée de piquants.

C'est Peter qui nous sauva à temps, qui embrassa juste à temps la bouche rudoyée d'Ursula, lui donna juste à temps une claque sèche sur le flanc, me tira juste à temps de ma stupeur de marmotte, saisit le corps nu d'Ursula et le mien et nous traîna dehors dans le coucher de soleil glacé et, bondissant et riant, dans la noirceur saisissante de la mer houleuse, juste à temps pour éviter des brûlures irréparables ou des lésions internes ou même la mort. A temps aussi pour nous ranimer, nous ramener douloureusement à la vie dans la lumière éclatante, le froid intolérable, le crissement de la glace mince qui laissait sur nos chevilles et nos pieds nus de fines éraflures sanglantes.

Lourdement, titubant, riant, rendus vulnérables par le choc, nous nous sommes précipités dans le flot hivernal, nous meurtrissant la plante des pieds sur les galets et nous bombardant même les uns les autres avec des poignées de neige vierge. Nous avons

repris vie, nous nous sommes secoués, l'inflammation sur le haut du corps d'Ursula ressemblait à
une tapisserie écarlate sur fond blanc. Nos fragments de phrases, le bruit de nos rires étouffés, le son
des chairs frappant d'autres chairs, tout cela se déta-
chait sur la dernière lueur et le dernier silence du
jour gelé.

De retour dans la cabane où nous courûmes pour
échapper à la mer, au froid, à la pure lumière menaçante et pour retrouver nos vêtements, Ursula s'engagea dans une longue étreinte sexuelle d'abord avec
Peter, puis avec moi devant les bûches qui brûlaient
toujours du même éclat. Devant le feu nous rachetâ-
mes chacun les cicatrices de l'autre et rendîmes à nos
corps transis le confort de la chaleur familière. Nous
n'étions pas d'humeur à utiliser les branches de
bouleau.

C'est plus tard que, gravissant le sentier craquant
dans l'obscurité, j'eus le pressentiment, hélas trop
justifié, que la vie de Peter se terminerait, quand
l'heure en serait venue, dans le sauna.

*

« Oui, Allert, dit-elle, je vais trouver quelqu'un
de très différent de toi. Un Africain peut-être ou un
Grec fantasque. Et je ne me plierai plus jamais au
mariage. »

*

Je suis allé tout droit dans ma cabine, en suivant
les numéros inscrits sur les portes à claire-voie. Je
n'ai permis à personne de porter ma valise neuve.

J'ai trouvé la porte, je suis entré et j'ai posé la valise sur le petit porte-bagages branlant. J'ai fermé le hublot et verrouillé la porte, je me suis assis au bord du lit face à la valise, les avant-bras sur les cuisses. J'ai attendu, regardant fixement la valise, écoutant. Au sein d'un mouvement que je ne pouvais me représenter et dans le silence qui suivit les coups de sifflet, les cris, le tohu-bohu des humains et le grondement étouffé des roues de fer et des engrenages huilés, lentement j'ai discerné le vrombissement stabilisateur et la raison d'être des machines loin en-dessous, et j'ai su que nous avions appareillé et commencé à naviguer.

Néanmoins je n'ai pu me résoudre à ouvrir la valise. A vrai dire je n'ai pu l'ouvrir qu'au bout de plusieurs jours, ce qui explique évidemment que j'aie eu l'air si mal rasé aux premiers repas.

Sanglée, fermée à clé, en cuir fauve d'un ton vif, ma valise neuve est restée intouchée sur son léger support pendant plusieurs jours, prosaïque boîte de Pandore, me disais-je, pleine des biens sentimentaux ou utiles du voyageur que j'étais. Durant ces heures que j'ai passées assis au bord du lit strictement bordé à contempler la valise gonflée, je me suis souvent demandé si Ursula avait fait exprès de suggérer une croisière, parce que autrefois nous avions fait ensemble une croisière du même genre pour célébrer notre récent mariage.

Finalement j'ai défait la valise.

*

Je suis un être qui boit des quantités immodérées

2

d'eau froide. Au lever quand je me tiens debout en pyjama de soie sur les carreaux tièdes, ou quand je m'arrête devant l'évier de notre cuisine placé comme une énorme auge de céramique sous la fenêtre donnant sur l'extrémité de l'allée par où Ursula va bientôt partir, ou quand je rentre à la maison après avoir nourri les oies de notre petit étang artificiel, ou quand je me réveille la nuit ou me détourne de la fenêtre orientée à l'ouest, ou quand je pense à Ursula allongée quelque part au-dessus de moi avec sa revue illustrée et ses plans en train de mûrir, dans tous ces cas, inévitablement et délibérément, je m'arrête pour remplir un gros verre transparent d'eau froide que j'avale avec lenteur et jusqu'à la dernière goutte. Je déguste l'eau telle qu'elle sort de sous les roches noires et plates, je déguste l'eau glacée qui descend une rivière de lumière, je la sens refroidir mes dents et me rafraîchir. Chaque verre d'eau me fait respirer à fond, m'assombrit imperceptiblement, me fait savourer d'avance avec une intensité accrue le goût du petit cigare que je fume après chaque verre pur d'eau froide. Et j'ai bu systématiquement une bonne douzaine de verres d'eau chaque jour durant les quelque dix dernières années de notre long mariage. Je ne bois que de l'eau et, de temps à autre, un coup de gnôle, alors que la plupart de mes compatriotes boivent de la bière. Et pourtant, comme le dit Ursula, je suis toujours boursouflé.

Mais il n'existe pas d'image ou d'analogie permettant d'évoquer le goût de l'eau, qui se trouve correspondre à ma conception générale de la vie. Penser à de l'eau salée m'est intolérable. Mon désir d'eau fraîche croît de jour en jour. Je me considère

comme un des rares hommes capables de reconnaître
que leur soif est insatiable.

*

« Allert, dit Peter, que penses-tu de ma théorie
selon laquelle un homme reste vierge jusqu'à ce qu'il
ait commis un meurtre ? »

*

Il y avait deux gilets de sauvetage rangés sur la
planche du haut de l'étroit placard de ma cabine.
En regardant au fond de ce placard presque vide à
part les gilets de sauvetage, et en regardant aussi
la glace fixée à l'intérieur de sa porte, je me suis
vu en slip dans la glace. Je m'imaginai ficelé dans
un des gilets orange, je me représentai en train de
nouer les cordons blancs dans l'obscurité d'une nuit
en mer. Je fus heureux de penser que j'avais perdu le
sentiment du temps.

Et pourtant la vue des deux gilets de sauvetage
me causait un certain malaise, comme les deux oreillers sur le lit, les deux fauteuils couverts de cretonne
à fleurs, l'odeur de savon et d'air marin, l'absence
de tout objet personnel dans cette cabine, manifestement prévue pour deux personnes mais occupée par
une seule. Je n'avais aucune envie de la compagnie
des autres passagers du navire et cependant je savais
que je ne me sentirais jamais chez moi dans une
cabine au décor aussi artificiel et où il manquait
perpétuellement une seconde personne inconnue.

Je remis en place un des cordons blancs qui pendait. Je laissai glisser mon slip à terre, je sentais le

bourdonnement du bateau dans la plante de mes pieds, je mis un slip de bain, des babouches de paille, des lunettes noires et un peignoir de tissu éponge blanc, pour aller passer un moment au bord de la piscine du navire. Je bus de l'eau glacée à la bouteille de plastique doublée de verre. Je m'examinai à travers les grands verres noirs des lunettes de soleil.

Puis je quittai ma cabine. Je pris ma serviette, mon chapeau de paille, mon livre, et en faisant un détour par le pont inférieur, au lieu d'aller directement à la piscine qui était sur mon propre pont à l'arrière du navire, je m'aperçus que l'apparente monotonie de la marche régulière du bâtiment ne m'inspirait pas confiance. La curieuse lévitation que je ressentais dans le couloir discrètement éclairé allait certainement faire place à quelque choc brutal ou diminution subite de notre vitesse, il y aurait alors une pause, puis la traction terrible des hélices brassant l'eau en sens inverse. Une belle journée n'était pas une garantie contre les évolutions des monstres des profondeurs.

Le couloir était recouvert d'un mince tapis de caoutchouc et son plafond ponctué par une série d'ampoules électriques de faible puissance dans des cages d'acier. Une hache d'incendie était enchaînée à la cloison derrière un panneau de verre. J'entendais mes babouches rythmer mon avance solitaire le long du couloir. A travers les verres fortement fumés de mes lunettes noires les détails de ce couloir étaient si sombrement estompés qu'il aurait aussi bien pu me conduire à travers quelque hôtel inconnu ou l'édifice sévère d'un mauvais rêve, sauf qu'il n'était pas rectiligne puisqu'il suivait les contours de la coque blanche, et qu'au noyau même de ses plaques d'acier il était plein de tous les sous-produits physiques des forces inhérentes à un navire voguant sur une mer plate.

La porte de sa cabine était ouverte. Voyant à peine où j'allais, flairant la peinture froide, la graisse des câbles électriques et le parfum frais et tenace de ma douche récente, je sus tout de suite qu'elle avait laissé la porte de sa cabine ouverte, non pas entrebâillée et maintenue par un crochet de cuivre comme beaucoup des portes devant lesquelles je passais, mais grande ouverte, de sorte que je ne pouvais éviter de voir le hublot entrouvert, le stylo et les feuilles de papier sur le bureau, la machine à écrire archaïque, le peignoir de plage orange jeté sur une chaise, le petit maillot de bain encore ruisselant suspendu à un des gros pitons à boucle autour du hublot. Je ne pouvais éviter de voir l'officier-radio à demi étendu sur le lit défait, en veste et en slip, ni de voir également la jeune femme qui, vêtue d'un maillot de corps blanc de garçon et d'un blue-jean serré, debout devant une petite planche à repasser, repassait un pantalon blanc qui était sans aucun doute celui de l'officier-radio.

Elle avait les cheveux encore humides. Sa croupe était un petit fruit fendu dans le pantalon bleu serré, ses pieds étaient nus, son torse nerveux ressemblait à celui d'un enfant. L'officier-radio lisait quelque chose, un livre ou un illustré, sur son lit défait. Elle repassait son pantalon blanc comme si c'était et avait toujours été un acte banal.

En regagnant le pont supérieur, je fis demi-tour, j'évitai la piscine et je retournai dans ma cabine où en peignoir, babouches et lunettes noires, je m'al-

longeai à plat sur le couvre-lit à fleurs tendu comme
une peau stérile sur mon lit vide.

J'étais incapable de lire. Il me fallut une très
grande concentration intérieure pour résister à l'envie
d'enfiler un des gilets de sauvetage orange sur mon
peignoir blanc.

*

Il se tenait à côté de moi. La lueur lunaire tombait
sur la rambarde et le pont, sur les vagues et l'écume
au-dessous de nous, et l'officier-radio se tenait à côté
de moi, une de ses chaussures blanches accrochée à
un barreau inférieur de la rambarde.

« Quelquefois, quand un homme est dans l'hiver
de la vie, dit-il, il se met à pourchasser des femmes
de plus en plus jeunes. Il s'impose là où sa présence n'est pas souhaitée. Il ne réussit pas à séduire
la jeune fille et à la détourner de l'homme plus
jeune. Il essaie vainement de devenir leur ami, et
il n'aspire sans cesse qu'à toucher la jeune fille. Il se
rend ridicule. »

Je songeai au clair de lune qui transformait en
argent le sel noir de la mer, durant un instant je vis
des algues strier l'uniforme blanc froissé. Il se curait
les ongles au clair de lune avec un petit bâtonnet
couleur d'os.

« Si vous me croyez dans l'hiver de la vie, comme
vous dites, répondis-je en réprimant ma colère, vous
faites une erreur. Une très grande erreur. »

*

« Allert, dit Peter, soufflant son haleine glacée

dans le silence entre nous, je voudrais souscrire à ta proposition. Tu t'en souviens ? »

En chaussettes de laine et bottes de caoutchouc coupées à la hauteur du genou, avec des fusils de chasse au barillet argenté reposant au creux de nos bras matelassés d'un épais rembourrage comme les bras de gigantesques poupées masculines, nous marchions côte à côte, Peter et moi, dans la neige d'avant l'aube. Il fumait sa petite pipe courbe en écume blanche au tuyau d'ambre. Les traits subtils de son visage allongé semblaient avoir été habilement gravés avec un instrument pointu dans du cuir de Cordoue.

« Oui, dit-il, j'accepte ton offre. La régularité nous sera agréable, à Ursula et à moi. »

Un oiseau solitaire au corps massif passa presque au ras de nos têtes et s'éloigna en une longue trajectoire courbe très rapide. L'haleine de Peter était comme de la neige qui vient juste de se transformer, le petit fourneau blanc et rond de sa pipe me rappelait la gonade de quelque dieu-enfant, un second oiseau fila en rase-mottes à la poursuite du premier. Et nous continuions à marcher ensemble, songeant à l'intimité que créent certains liens psychiques.

C'est alors, après que nous eûmes parcouru peut-être une centaine de mètres, que j'eus la vision de Peter scellé enfin dans sa boîte de plomb mais son pénis crevant le toit de la boîte comme un asphodèle courroucé.

*

En chemin vers la piscine, qui était petite mais profonde et avait la forme d'une amibe glissante, j'assurai mon équilibre contre le tangage et le roulis du pont en bois couleur d'os et je levai le regard vers l'avancée latérale de la passerelle du navire, où je le vis, tête nue, cheveux noirs frisant dans le vent lumineux, bras sur la rampe d'appui, pied soulevé, posé sur le barreau blanc, vareuse déboutonnée au cou, jeunes yeux farouches tournés vers quelque point invisible loin par-delà la proue du navire, le type de jeune opérateur-radio qui mériterait un jour, bientôt, d'être condamné par quelque tribunal maritime à la peine la plus sévère. Je me demandai quelle poche de sa vareuse, la droite ou la gauche, contenait une des fameuses photos. Manifestement il était d'humeur joyeuse, et pas de service pour le moment.

Mais nous plongeâmes dans un autre creux, le navire roula pour se rétablir, l'écume jaillit haut, je poursuivis ma route en chancelant vers l'eau bleue qui à présent tournoyait dans la piscine, à la poupe du navire.

Je trébuchai, laissant tomber mon livre. Les embruns glissaient sur les verres sombres de mes lunettes de soleil ; aujourd'hui on ne pouvait avoir de doute quant à notre marche et notre direction. J'étais prêt à souffrir le pire mal de mer, dont je n'avais pour le moment aucun signe annonciateur, pour la seule satisfaction que me donnait une agitation aussi compréhensible sous un soleil éclatant. Il me suffisait de me tenir en équilibre au bord de la piscine, une main sur le ventre et l'autre cramponnée au montant d'aluminium du plongeoir, pour percevoir la matérialité rassurante des vagues, de l'écume, des embruns, de l'escorte obstinée de mouettes grises, de quelques épluchures d'oranges égayant notre sillage, de l'angle soudain dangereux du bleu vif de l'eau dans la piscine. Nos hélices, grandes sculptures de

cuivre sous-marines, fonctionnaient aujourd'hui réso-
lument, puissamment. Il n'y avait presque personne
en vue. Je vacillai, je levai mes yeux protégés vers
la mouette la plus proche, et je sentis alors l'eau de
la piscine — bleue seulement parce que l'intérieur du
bassin était peint en bleu — s'élever en roulant à la
rencontre des embruns voltigeants.

« Allert », appela-t-elle, au moment précis où mes
mains tendues, ma tête et mes épaules grasses frap-
paient l'eau bleue et où, les poumons dilatés et les
yeux ouverts, je commençais à descendre. J'emportai
le son léger et féminin de sa voix avec moi dans ma
progression vers le fond. Tandis que je plongeais,
colosse en slip bleu les pieds en l'air dans une petite
masse d'eau profonde qui tanguait et s'élançait avec
véhémence en réaction aux mouvements de la mer,
la faible voix claire et agréable continuait à flotter
dans mes oreilles, comme un second nageur qui serait
descendu en ondulant à mes côtés à brasses vigou-
reuses. Mon nom était submergé dans le son de sa
voix, sa voix dans mon nom, alors que j'étais moi-
même profondément submergé dans le bassin d'eau
de mer captive, soudain parfaitement tranquille et
d'un bleu plus sombre qu'auparavant.

J'avais les yeux ouverts et je remuais mes bras et
mes muscles pectoraux au rythme lent de quelque
lumineux papillon sous-marin. La paroi de la piscine la plus proche de moi était plantée verticale-
ment dans l'eau comme un couteau bleu. Une série
de trous vides en échelle pour les mains et les
pieds grimpaient raide jusqu'à la surface sur laquelle
tombaient les ombres produites par l'écume, les
embruns et les jambes tendues de la jeune fille. Je
savais que j'étais tout à fait seul dans la piscine.

Douleur stimulante du souffle retenu, carreaux blancs et noirs comme il y en dans les toilettes, un trou de drainage couvert d'un grillage en fil de fer, mon corps plus sensible que jamais au poids de l'eau et à la tension de la nage ; soudain j'atteignis le fond, ce à quoi je ne parvenais pas toujours en de telles circonstances, et je posai une main à plat sur le carrelage, bandant toute mon énergie pour demeurer là comme ancré par un morceau de fer rouillé ; j'attendis d'avoir apaisé à coup sûr le dieu de tous ceux qui ont peur de se noyer en mer, puis je repartis d'une poussée, en roulant sur le dos, et je prolongeai la souffrance rituelle du retour à la surface en forçant mon corps raidi à s'élever tout seul, sans l'aide de mouvements de mains, ni de coups de pied.

« Allert », cria-t-elle, quelques instants seulement après que ma tête et mes épaules eurent ré-émergé dans la vie incertaine de cette belle journée, « c'est dangereux de nager quand la mer est aussi mauvaise ! »

Je me mis à rire et levai mon bras glissant hors de l'eau, lui indiquant ainsi que j'appréciais sa sollicitude et marquant aussi la satisfaction que me donnait sa présence au bord de la piscine où elle s'était assise dans une superbe quasi-nudité juvénile, une de ses jambes enfantines tendue, ruisselante, au-dessus de l'eau. J'agitai à nouveau la main, je reniflai, m'ébrouai pour chasser l'eau, mes épaules se soulevèrent, je m'élançai en avant pour couvrir la courte distance agitée qui me séparait du flamboiement de l'échelle étincelante. Haletant voracement, sentant le fardeau de tout mon poids retrouvé et saisissant non sans peine la barre d'aluminium chaud recourbée comme

les cornes d'une énorme chèvre artificielle, lentement
je me hissai sur le pont du navire qui tanguait vers
la chaleur de la serviette blanche qu'elle avait étendue derrière elle, pendant que j'étais au fond de la
piscine.

« Allert », dit-elle alors que je m'effondrais à plat
ventre sur la serviette, « je ne me baignerai pas aujour-
d'hui. La mer est trop mauvaise. Je ne suis pas aussi
forte que vous. »

Je poussai un grognement et posai la joue sur mes
mains moelleuses et roses appuyées l'une sur l'autre
et je sentis la partie supérieure de la petite paire de
fesses s'insérer étroitement dans le creux de mon
flanc, tandis que l'eau coulait lentement de mes
oreilles et de ma bouche. Je n'avais pas besoin d'ouvrir les yeux pour savoir qu'elle était là, puisque je
la voyais les yeux fermés, étroit soutien-gorge bleu
et slip échancré ressemblant à s'y méprendre à des
sous-vêtements, petit corps nubile sans poils ni marques à l'exception d'une cicatrice en forme d'hameçon au-dessous du nombril, visage menu dont le
poids et la forme auraient tenu aisément dans une
main, cheveux doux d'un noir intense cachés en ce
moment sous son bonnet de bain, un petit bonnet
de bain en caoutchouc blanc aux oreillettes relevées
comme celles d'un casque d'aviateur d'autrefois après
un vol difficile. L'eau tiède qui tombait goutte à
goutte d'une de mes oreilles et la douleur qui s'apai-
sait dans mes poumons et le navire qui tanguait et
roulait dans un cercle d'embruns brillants ne m'empê-
chaient pas de la voir parfaitement dans le noir parce
que, comme je l'avais décidé depuis longtemps, c'était
la seule personne sur le bateau que je désirais
connaître.

« Allert », dit-elle plus bas, quoique nous fussions seuls à la poupe du navire qui montait et retombait, seuls dans le vent et le soleil, « comment se fait-il que tu sois un amant si onctueux ? »

« On dirait que c'est d'une huile et non d'un homme que tu parles », répliquai-je prenant plaisir à prononcer et à susurrer ces mots. « Tu n'as pas honte ! »

Bien entendu, elle réagit sur-le-champ au ton bienveillant de ma réponse en se penchant pour poser ses lèvres sur le gras flasque de mon épaule gauche et en produisant avec sa bouche, si petite fût-elle, une sensation de succion profonde et pointue. Puis elle mit sa joue à l'endroit d'où elle avait retiré ses lèvres, soupira, s'allongea à côté de moi et se mit à me caresser doucement dans les bourrelets de graisse le long de mes côtes. Sa joue sur mon épaule était comme un pétale dans un champ de neige.

« Allert », dit-elle tout bas, tandis que nous étions étendus là sous une voûte d'embruns scintillants, « si nous descendions dans ma cabine et que nous enlevions nos vêtements ? Tu veux bien ? »

*

Son nom, je l'appris inévitablement et assez vite, était Ariane. Un prénom distingué, bien caractéristique : de ceux que l'on donne si souvent aux filles dans les familles pauvres. Je compris tout de suite de quelle catégorie il relevait et je reconnus son sens, son goût douteux, son pathétique. Je le trouvai tout de suite attrayant par sa simplicité et sa sentimentalité.

Ariane était le nom de la jeune femme que je connus d'une manière si bouleversante et si brève durant la croisière. A présent je ne trouve plus ce nom attrayant.

*

« Allert, dit Peter. J'ai une demande à faire. Je voudrais vous soumettre, toi et Ursula, à un test psychologique en profondeur. Ursula est d'accord. Et, après tout, il n'y a pas de raison que notre amitié ne serve pas à mes travaux. Tu dois reconnaître que vous seriez tous deux d'excellents sujets. Qu'en penses-tu ? »

Il fumait sa pipe, moi mon cigare. Dans la pénombre le bureau de Peter sentait comme si tout ce qui s'y trouvait, au lieu d'être en bois ou en cuir, eût été fait de blocs comprimés de tabac âcre et généreux. De tabac vert, pensai-je, en essayant de discerner le profil de mon ami dans la pièce sans lumière, étonnant tabac vert qui me rappelait le temps où j'étais moi-même un jeune garçon sans défense.

« Tu sais ce que je pense des psychiatres », dis-je, tenant le cigare proche de mes lèvres en attente. « Mais pour toi, mon ami, que ne ferais-je ! A des compagnons bien choisis je n'ai rien à cacher. »

Malheureusement Peter ne put appliquer le test avant sa mort.

*

Ma vie a toujours été sans fards, surexposée. Chaque événement, chaque situation, chaque image m'apparaît comme un bout de pellicule noirci par surexposition à une lumière intense. Dans mes cadres de photos, les personnages sont nets mais roussis.

Au milieu de la forêt sombre, je suis un cheval doré,
couché mort sur le flanc en travers du chemin et en
train de pourrir.

*

— Pourquoi ai-je l'impression que nous sommes
tous deux les seules personnes à bord de ce bateau ?
— Peut-être parce que tu n'es pas très liant généralement, Allert.
— Mais je suis étonnamment liant, tu le sais bien.
— De plus, tu es certainement conscient de la
présence des officiers et de l'équipage. Tu en es tout
le temps conscient.
— Peut-être après tant d'années suis-je jaloux.
— Mon pauvre Allert, il n'y a aucune raison de
l'être.

*

Peter, qui était maigre et nu, plia les genoux,
saisit ses chevilles, courba le dos et se redressa dans
sa position de yoga préférée. Le creux entre ses
cuisses formait une large coupe anguleuse contenant ses organes génitaux qui, remarquai-je, étaient
posés là comme un amas de déchets excrétés cuits à
grand feu dans un four à céramique, puis vernissés.
« Il y a une chose qu'il faut que tu saches, Peter,
disait Ursula, c'est qu'Allert et moi nous nous enten-
dons très bien au lit. Depuis toujours. »
La franchise d'Ursula était largement suffisante
pour briser le vernis recouvrant les organes génitaux
de Peter.

*

Le vent et le soleil me brûlaient les joues, l'odeur
de la mer me remplissait les poumons. C'était au
crépuscule et je revenais de la retraite parfaitement
isolée que j'avais découverte depuis peu, un endroit
à la proue du navire caché par les roues et les tôles
d'un énorme treuil enduit de peinture noire épaisse
et brillante. J'avais regardé descendre le soleil dans
le quadrant ouest, je n'avais discerné aucun indice
de l'approche d'une terre. Etais-je libre ou perdu,
surexcité ou simplement inondé de chagrin ? Je n'en
savais rien. Je ne savais pas où j'en étais et ce que
voulaient dire tous ces éléments, ces détails, ce
moment rafraîchissant mais bizarrement traumatisant
du coucher de soleil, sauf que j'avais l'intuition d'être
plus jeune et néanmoins plus près de la mort que je
ne l'avais jamais été. Du moins mes sentiments
étaient-ils contradictoires, c'est le moins qu'on puisse
en dire, à l'instant où j'introduisis ma clé de cuivre
dans la serrure de la porte de ma cabine. Le hublot,
qui ne donnait que sur le pont, était clos.

Je vis tout de suite la petite photo posée tranquillement sur le dessus de cuir de ma valise fermée à
clé et pas encore défaite. Les deux objets en soi, la
valise, la photo, étaient parfaitement ordinaires, pourtant, pris ensemble, l'un sur l'autre, chacun réduisait
dans une petite mesure la réalité de l'autre, ou du
moins la modifiait. La main sur la poignée en cuivre
de la porte, mes cheveux et ma silhouette encore
bouleversés par le vent à présent évanoui, c'est au
moment où je me trouvais ainsi au seuil même
de ma cabine, voyant la photo sur la valise, placée

à son tour sur le porte-bagages, c'est alors qu'une
nouvelle loi s'imposa lentement à mon esprit, suivant laquelle la plus petite des modifications dans
l'univers des objets transforme la réalité de la façon
la plus radicale et la plus effrayante. Comparée à la
vision de cette photo aux bords légèrement roulés,
posée pas tout à fait au centre de ce champ de cuir
fauve — ordinaire, improbable, inexplicable, entourée d'invisibles chaînes de questions sans réponse —,
la mise à sac de ma cabine silencieuse, si elle avait
eu lieu, n'aurait rien été.

Je m'assis sur mon lit, me penchai en avant et
pris entre le pouce et l'index le bord de la photo
vieillie. Je la tenais comme on tiendrait les ailes d'un
papillon docile. Lentement je l'approchai pour l'examiner froidement. Les deux petits personnages blancs,
larves estompées, paraissaient se dévorer érotique-
ment l'un l'autre avec un plaisir carnivore. Je rap-
prochai encore la photo de mon regard tranquille
pour contempler la fente qui traversait comme un
éclair le glaçage de cette épreuve maintes fois tripo-
tée. Au bout de quelques minutes, je décidai que
c'était une photo différente de celle qu'avait exhibée
subrepticement dans la salle à manger l'officier-radio,
bien que je n'en fusse pas certain. Les personnages
me semblaient plus petits et plus évocateurs d'un
autre siècle.

Je résolus de ne pas la détruire. Je résolus de ne
pas aller immédiatement à la recherche de l'opérateur-radio pour le confondre. Certes, voir apparaître
de façon incompréhensible la photo démodée dans
ma cabine verrouillée était plutôt pire que de recevoir
une lettre anonyme, je résolus cependant de ne pas
la rendre à son propriétaire. Si l'opérateur-radio

essayait par ce moyen de m'intimider ou de me faire savoir sur moi-même quelque chose que j'ignorais, et cela afin de faire obstacle à mon amitié pour la jeune fille au bain de soleil bleu, il allait bientôt se rendre compte que j'étais plus redoutable qu'il ne le croyait.

Sitôt que j'eus pris cette résolution et glissé la photo dans la poche de ma veste, je me penchai en avant, mû par une impulsion, je desserrai les courroies de ma valise, tournai la clé dans sa serrure et l'ouvris toute grande. Les objets qu'elle contenait ne m'étaient pas familiers et ne semblaient pas être les miens, comme si Ursula avait décidé que ce voyage devait me transformer du tout au tout, mais je me décidai enfin à défaire la valise et je trouvai la tablette ou le tiroir appropriés pour chacun de ces objets que j'étais si peu habitué à voir ou à toucher. J'avais l'impression de violer le cercueil d'un enfant inconnu. Je rangeai la valise dans le bas de l'armoire, entrebâillai la porte de la cabine au moyen de son crochet de cuivre, dévissai les gros écrous à ailettes de mon unique hublot, pour l'entrouvrir, puis je m'allongeai sur mon lit, auquel j'étais encore mal accoutumé, et j'attendis.

*

Je possède encore la photo. C'est la dernière acquisition, dans une certaine mesure accidentelle, de ma vaste collection pornographique, dont j'ai d'ailleurs caché l'existence à Ursula durant tout ce temps. J'ai préféré ne pas présenter cette photo comme pièce à conviction dans la longue et révoltante épreuve que fut le procès.

*

« M. Vanderveenan », appela-t-elle au moment où
j'arrivais en haut de l'échelle et où ma tête et mes
épaules surgissaient dans le vent et la lumière éblouissante du pont supérieur, « vous ne voulez pas jouer
avec moi au net-ball ? Je ne trouve personne avec
qui jouer. »

Elle portait un soutien-gorge bleu, un pantalon
serré en tissu de blue-jean bleu, des ballerines noires
et avait les cheveux retenus derrière par un ruban
noué en velours orange. Elle était debout dans le
vent à côté du filet haut placé et balançait dans une
main un ballon de cuir noir de 15 à 20 centimètres
de diamètre. Sa taille était nue entre le bas du soutien-gorge et le haut du pantalon serré par une ceinture de cuir. Je reconnus la tenue classique, généralement conçue de façon que le spectateur imagine
la ceinture détachée et le pantalon, sa fermeture
éclair défaite, glissant à demi ouvert le long des
hanches. Cependant sa taille nue était aussi lisse et
enfantine que l'expression de son visage candide.

— Je serai enchanté de jouer à votre net-ball,
dis-je dans le vent invisible. Mais dites, comment
savez-vous mon nom ?

Nous étions près l'un de l'autre et partiellement
cachés par les deux cheminées ovales bleu pâle audacieusement inclinées en arrière sous la poussée du
vent du large. Le ballon dans sa main était un fruit
de cuir noir mûr à point et fendu.

— Le commissaire, bien entendu. Vous ne saviez
pas que c'est un des officiers qui mangent à notre

table ? Il connaît le nom et le visage de tous les passagers de la croisière.

— Je vois. Le commissaire. Je ne crois pas l'avoir remarqué.

Nous étions plus près l'un de l'autre et le caractère suggestif du pantalon ceinturé, l'appât du ventre nu m'étaient parfaitement familiers. La tenue était banale. Jusqu'à présent la jeune fille ne promettait d'ailleurs rien que de banal, sauf que son omoplate toute proche de moi était nue et émouvante et que les traits menus de son visage étaient assemblés avec une rare harmonie. Même si c'était une adulte et non une enfant et si en fait elle avait dépassé la majorité, comme je le supposais, elle ne pouvait tout de même pas approcher de la moitié de mon âge, idée à laquelle je me mis à songer de temps à autre à partir de ce moment.

— Vous ne connaissez pas le commissaire ? C'est celui qui a une moustache tombante. C'est un de mes préférés.

— Et qui est le jeune officier qui s'est attribué la place à côté de la mienne à notre table ?

— Ah, lui c'est l'opérateur-radio. Un autre de mes préférés.

— Vous avez beaucoup de préférés.

Elle souriait. J'étais à portée de main de son épaule nue, je me dis qu'il n'était pas possible qu'elle eût déjà envie que je lui embrasse les lèvres, voire que je touche son épaule nue, malgré la façon engageante dont elle balançait le ballon noir et malgré son sourire, ses yeux assurés, son visage levé. Néanmoins c'était une jeune personne que j'imaginais en train de défaire sans façons la boucle de son pan-

talon serré, ici même, en cet endroit réservé aux jeux
et à la gymnastique entre la cheminée avant, la cheminée arrière et les deux canots de sauvetage blancs
de chaque côté. Mais, pensai-je, entre les pôles de
la sexualité et de l'amitié il n'est pas dit que l'étin-
celle jaillisse, du moins pas immédiatement.

— Si vous ne connaissez pas le commissaire, dit-
elle en jetant un coup d'œil sur le ballon noir, vous
ne savez pas que je m'appelle Ariane.

Je tendis la main pour prendre le ballon, je
sentais la chaleur de la cheminée la plus proche se
mêler au froid du vent invisible et à la lumière éclatante du soleil. Loin au-dessus de nous, un garçon
de restaurant parcourait le pont caché en jouant les
trois notes impersonnelles du gong annonçant le
déjeuner. On percevait la respiration de la jeune
femme dans son ventre nu et le mouvement naturel
de ses seins soutenus par les triangles du soutien-
gorge bleu. Lequel était attaché entre ses omoplates,
observai-je, par un nœud serré.

— Alors, dis-je en faisant sauter légèrement le
ballon en l'air, alors vous vous appelez Ariane. C'est
un très joli nom.

Ma cravate se débattait dans sa pince, mes cheveux volaient, le filet d'un blanc mat était tendu
haut au-dessus de ma tête, et je songeai au nom de
la jeune femme et je vis les frères, les sœurs, la
fille anonyme dans la cafeteria, le baptême minable
du premier-né, une fille à qui l'on donne ce nom
distingué qu'elle retrouvera si souvent dans les maga-
zines bon marché, dans les bureaux de la Sécurité
sociale.

— Quelles que soient vos pensées présentes, dit-
elle en glissant sa main sous mon veston et son

bras autour d'une partie de ma taille, elles ne sont pas dignes de vous. Vous ne devriez pas avoir des idées pareilles, monsieur Vanderveenan.

— Mais c'est vrai que votre nom est ravissant. Il faudra vous souvenir que je parle toujours sincèrement — toujours.

Son bras était passé autour de ma taille, la minceur de son corps se frottait au volume du mien, je sentais sa petite main sans bague jouer avec les plis de ma chemise humide aux alentours de mes reins. Quelqu'un qui nous eût trouvés là, l'un à côté de l'autre, entre les cheminées du bateau n'aurait pu voir son bras et sa main dissimulés sous le tissu sévère de mon veston de ville déboutonné. Mais moi je percevais la faible pression autour de ma taille, les légers tiraillements et les caresses des doigts de sa main gauche et même, en me penchant, je sentais l'odeur de son souffle, fugace et naturelle dans la brise de l'océan. Son geste m'avait surpris, bien entendu, et durant un instant m'avait fait éprouver un de ces rares frissons d'inquiétude et d'anticipation que provoque le premier signe d'une attirance subite. Je la croyais simplement amicale, je croyais son geste chaleureux et espiègle sans plus. Et pourtant nous étions bel et bien appuyés l'un contre l'autre sur le pont supérieur et un de ses doigts s'était logé, je ne sais comment, entre mon pantalon tenu par une ceinture et ma chemise humide. Son comportement aurait dû me révéler clairement dès lors sa fermeté d'esprit et sa spontanéité.

— Eh bien, dit-elle en levant son visage vers le mien et en souriant, vous n'allez pas jouer au netball en veston !

— En effet, dis-je, et j'écartai mon corps du sien,

lui donnai le ballon, retirai mon veston, me retournai et allai me placer en position de jeu de l'autre côté du filet. La régularité de la marche du navire, les syllabes que murmuraient les fils au-dessus de nous, la blancheur briquée des planches du pont, le réseau symétrique du filet tendu haut, le son d'un moteur de ventilateur, le vent dans mon dos et le soleil droit au-dessus de nous qui effaçaient le temps et la direction, et les circonstances, si ordinaires, si neutres, si dénuées de signification, se prêtaient parfaitement à la surprise et à la simplicité de cette occasion, où une jeune femme inconnue m'offrait quelque chose qui dépassait l'innocence : une présence, un flirt. Elle m'observait avec autant d'attention que je l'observais moi-même, et avait levé à la hauteur de sa poitrine le ballon qu'elle tenait à deux mains.

— Vous voyagez seul, cria-t-elle alors que j'attendais, les mains levées dans l'attente de son lancer juvénile.

— Et vous, répondis-je, plissant les yeux et attendant que la partie débute, vous aussi vous voyagez seule.

— Mais moi c'est différent. Je ne suis pas mariée.

— Eh bien, dis-je en riant et en me demandant ce qu'étaient devenues les mouettes en perdition, je suis marié et je fais cette croisière seul quand même. Voilà tout.

Elle leva le ballon au-dessus de sa tête. Je fis un pas en arrière et j'arrondis les mains à l'image du ballon en suspens. Le navire ne nous conduisait nulle part, il nous emportait au loin.

— Je fais souvent des croisières, cria-t-elle. Souvent.

— Très bien, répondis-je. Vous le lancez, ce ballon ?

Elle attendit, anonyme petite silhouette féminine dans une pose sportive. Puis, me regardant fixement à travers les étonnantes vibrations du filet blanc tendu, elle baissa les bras avec lenteur jusqu'à ce que le ballon, toujours serré entre ses deux mains, reposât sur le triangle formé par le haut de ses cuisses légèrement écartées. Le vent semblait sans prise sur son soutien-gorge et son pantalon collant, tandis que sur mon dos, mes épaules et mes jambes épaisses, ma chemise et mon pantalon s'aplatissaient comme des voiles.

— Je ne crois pas, dit-elle sans bouger. Je crois que non.

Je compris. Tout à coup je commençai à comprendre la présence impérative de la jeune fille qui attendait de l'autre côté du filet et dont le nom figurait périodiquement sur la liste des passagers de navires semblables au nôtre. J'acquiesçai de la tête et me baissai pour passer sous le filet ; elle laissa tomber le ballon qui, entraîné par le vent et la pente du pont, roula sous un des canots de sauvetage et disparut par-dessus le flanc babord du navire.

Nous nous étreignîmes. La peau de son dos nu et de ses épaules était aussi douce et lustrée que la peau neuve qui se forme à l'endroit d'une brûlure. Son baiser était humide et assuré, prolongé et muet, et englobait jusqu'à mon nez qu'elle aspira dans sa petite bouche parfaitement grave.

« Il ne faudra jamais vous apitoyer sur moi », dit-elle quand nous fûmes prêts à redescendre l'échelle. « C'est ce que je vous demande. »

*

Comment aurais-je pu faire du mal à un être
pareil ?

*

« Allert, disait Ursula, la raison pour laquelle je
te quitte n'est pas sexuelle. Nullement sexuelle. C'est
simplement que tu ne te connais pas toi-même, tu n'as
aucune idée de qui tu es, or à mon avis tu es un
vrai cloaque. Tes bajoues, tes yeux comme des verres
de myope, tes petits cigares, ton corps disgracieux,
ton sens pervers de l'humour, tout cela m'est indifférent. Mais depuis longtemps tu as détruit en toi
toute émotion, Allert, et je ne peux plus supporter
tes silences, ton silence dans les transes de l'amour,
le récit de tes rêves, la puanteur du cloaque qu'est
ta personne. »

Pendant ce monologue il y avait sur la table entre
nous une grande coupe de faïence blanche parfaitement lisse pleine de gros raisins pourpres tout frais
en train de s'égoutter lentement, ce qui, de la part
d'Ursula, me parut ou particulièrement irréfléchi, ou
particulièrement cruel.

*

Les jointures des doigts du vibraphoniste étaient
blanches et finement maculées de petites taches de
sang frais. Il frappait les plaques métalliques de son
instrument ridicule avec ces jointures écorchées et
saignantes. Son sang graissait les plaques de l'ins-

trument. La batterie et le saxophone étaient tenus
par des femmes.

*

Dans mon rêve le village nocturne, qui est pauvre
et n'est nullement mon village natal, consiste en une
seule route poussiéreuse flanquée d'un côté par une
cathédrale éclairée aux bougies, de l'autre par une
petite station-service abandonnée. La route couverte
de poussière émerge de l'obscurité, de l'obscurité
totale de la nuit déserte, dans le court espace illuminé
par la lueur vacillante de cette énorme anomalie
qu'est la cathédrale — gothique, éclairée par des bougies dans chaque fente à l'intérieur et à l'extérieur,
animée par le souffle des esprits, mais vide — et illuminé aussi par l'unique ampoule nue qui brille à
côté de l'unique pompe à essence de la station-
service. La route émerge dans la lumière du contraste
entre le palais pour hommes morts et la cabane pour
autos mortes, puis disparaît à nouveau dans une nuit
qui m'est étrangement familière. Je n'éprouve pas
de surprise à être seul au milieu de ce village primi-
tif dans cet espace éclairé au sein de la nuit familière.
Je perçois et en même temps ne perçois pas la
monstrueuse incongruité de cette cathédrale vide en
face d'une station-service abandonnée, consistant en
une pompe et une cabane sans porte, blanchie à la
chaux et sentant l'urine. Je ne suis pas surpris non
plus par l'apparition silencieuse du cortège funèbre,
ni étonné de faire partie de ce cortège, lorsqu'il émerge
lui aussi dans la lumière, cortège que personne
d'autre que moi ne suit et qui ne comporte au centre
de sa lente progression qu'un haut cercueil noir

bossu. Ni surpris finalement de me trouver confondu avec le cercueil, comme si c'était mon propre corps qui se trouvait à l'intérieur, paré pour la mort. Mais quand le cercueil tourne pour s'engager dans le vaste panorama vacillant de la cathédrale qui l'attend, je tourne dans le sens opposé pour franchir l'entrée obscure et sans porte de la station-service.

Quand j'ai raconté ce rêve à Ursula, en disant que c'était un de mes rêves les plus importants, elle s'est mise à rire et a dit que je n'étais pas encore en panne d'essence, c'est l'expression qu'elle a employée, en dépit de mes craintes évidentes. Elle a repris sa revue illustrée, a observé qu'au fond j'avais de la chance de ne pas avoir déjà pénétré dans la grande cathédrale de la mort, et m'a rappelé l'autre homme qui était mort pour elle peu de temps auparavant, bien sottement d'ailleurs. Puis elle a ajouté qu'après tout je ne m'étais apparemment pas délivré des espérances religieuses de mon enfance, ce qui était regrettable car, tant que je n'y parviendrais pas, elles constitueraient un écran entre moi et le monde où je vis.

Je ne sais pourquoi, j'ai choisi ce moment pour lui demander si elle discutait quelquefois de mes rêves avec Peter, mais elle n'a pas répondu.

*

« Si tu arrives à détruire ton sentiment de culpabilité, mon ami, dit Peter, tu te détruiras toi-même. Tu es tout à fait différent d'Ursula et même de moi, par exemple, car toute ta générosité et même ta force dépendent d'une culpabilité sans limites, qui fait partie de ton charme. »

Il était debout, sa pipe à la bouche, sous le soleil

qui lubrifiait les canards morts à ses pieds, et je lui
dis aimablement que je croyais qu'il se trompait.

« On verra, mon ami, dit-il. On verra. »

*

Dans mon rêve je suis devenu le petit garçon
silencieux de mon enfance, un enfant grassouillet
au visage plutôt allongé chez qui on discerne déjà
les traits et le caractère de l'homme qu'il deviendra,
et je me trouve en lieu sûr, dans mon village natal
et, quoique ce soit manifestement au plus noir de
la nuit et que le village dorme, je suis pourtant assis
dans le fauteuil du coiffeur local, enveloppé d'une
serviette et poudré. J'entends couler de l'eau et
cliqueter les ciseaux, car le coiffeur est réveillé et
en train de me coiffer. Il dégage une odeur d'épices
et de je ne sais quel onguent qui me fait frémir de
plaisir et d'appréhension. Nous sommes seuls, je
porte mes culottes courtes, mes chaussures de marche,
ma chemise à initiales au grand col blanc flottant. Et
du bout des pieds jusqu'au cou j'ai le corps enseveli
comme sous une tente dans la volumineuse serviette
blanche que le coiffeur a drapée délicatement autour
de moi et épinglée à hauteur de mon cou. Je som-
nole, mais j'ai pleine conscience de la nuit, des rues
et des maisons sans lumière au-delà de la boutique
du coiffeur, de la lampe électrique unique qui a une
odeur de suif, des gestes du coiffeur qui fait cliqueter
ses ciseaux d'acier entre les pentes de mon crâne
et la bosse que forme mon assez vilaine oreille
d'enfant. Mais c'est surtout le miroir du coiffeur
dont je suis conscient.

Dans sa douce transparence je vois mon reflet, mes

yeux lents et les lames des ciseaux d'acier. Mais
sous le bord des baguettes peintes en rose qui enca-
drent la glace, le coiffeur a glissé une grande photo
noire et blanche d'une jeune fille souriante et dévêtue.
Elle est assise sur ce qui semble être le talus fleuri
d'un canal, les jambes d'un côté, son bras fluet ser-
vant d'appui à son torse mince et tendre. Ses vêtements sont entassés à côté d'elle et, à droite de
l'image, on voit clairement un petit garçon qui tient
sa bicyclette et contemple de haut la jeune fille nue
en train de poser si naturellement pour sa photo.
Chaque fois que je laisse mes yeux se fixer sur le
monde blanc et doux du miroir pour regarder les
nuages de poudre que soulève la grande brosse duve-
teuse dont le coiffeur époussette mon cou qui me
picote, je ne puis éviter de regarder aussi la jeune
fille dont les seins nus sont pour moi un spectacle
totalement neuf. Je les observe fixement, je ne comprends pas comment ils peuvent saillir comme cela,
travaillés apparemment par le printemps et gonflés.

Le miroir et la photo se rapprochent, la lumière
oscille, le coiffeur tourne mon fauteuil pour une
raison professionnelle, du moins je le crois, mais
il en résulte pour moi une vision de la photo encore
plus intense. Et j'ai conscience d'avoir les cuisses
serrées par mon pantalon, d'une odeur de suif, de
la nudité de la jeune fille, de ma respiration avalée
quelque part au fond de moi, d'une sensation terrible
et délicieuse comme si un petit doigt devenait raide
dans mon pantalon. La jeune fille m'observe, la
jeune fille comprend ce qui se passe, alors que je
ne le comprends pas et que je peux juste essayer de
contrôler ma respiration pour empêcher le coiffeur
de découvrir l'étrange métamorphose qui se produit

sous ma tente. J'ai conscience d'une odeur d'alcool, d'un parfum de lilas. Sur la photo le jeune garçon a un visage affligé et je vois dans la glace que le mien l'est aussi. Je m'aperçois que j'écarte mes cuisses rebondies avec une dissimulation qui m'est tout à fait inconnue et que je souris dans l'intolérable souffrance de mon plaisir puéril. Et je remarque alors que les ciseaux se sont arrêtés, que l'ampoule électrique n'oscille plus, que la figure du coiffeur est près de mon oreille nue :

« Touche ton petit pénis », chuchote-t-il doucement, « touche-le du bout de ton doigt, petit garçon. »

Je sursaute, je rougis, j'attends, et puis j'obéis. La jeune fille a un sourire approbateur, mais l'obscurité à l'intérieur de ma tente est toute mouillée et entre mes jambes une vive douleur subsiste dans le sillage du choc déclenché par le bout de mon doigt et la voix chuchotante du coiffeur.

Quand j'ai raconté ce rêve à Ursula elle l'a déclaré charmant et a dit qu'il expliquait bien mon intérêt de collectionneur pour la pornographie. Et cependant il aurait mieux valu, observa-t-elle, que je fusse le petit garçon à la bicyclette et qu'il n'y ait pas eu de photographe pour interrompre sa rencontre avec la jeune fille qui se dorait au soleil. Mais il était évidemment amusant de constater que la généreuse vie sexuelle que nous menions ensemble ne suffisait apparemment pas à rendre inutile le « siphonnage psychique », comme elle l'appelait, dont témoignaient mes émissions nocturnes. C'est alors qu'elle déclara en riant que j'étais totalement imprégné de sexualité.

*

J'entendis les coups frappés à ma porte. J'entendis
des voix animées et le bruit de pas pressés dehors
sur le pont. J'entendis le son de sa voix qui m'appelait doucement par la claire-voie de la porte.

« Allert ? Vous êtes là ? Nous longeons l'île.
Vous ne voulez pas venir la regarder ? »

J'attendis, couché à plat sur le couvre-lit, et je
sentis très nettement une modification dans l'équilibre de notre cargaison se déplaçant en haute mer,
et je ne pus m'empêcher d'entendre la bourdonnante
agitation des passagers qui affluaient à la rambarde
de tribord. J'entendais le vent dans les chapeaux de
paille, j'entendais les corps se masser les uns contre
les autres derrière la barre d'appui en acajou.

« Allert ? Répondez donc. Je sais que vous êtes
là. »

Bien entendu j'étais tout à fait certain qu'elle ne
pouvait savoir que j'étais allongé, l'esprit tendu, dans
ma cabine, car j'avais pris soin de tirer le rideau
vert qui masquait mon hublot. Et pourtant le son
très banal de sa voix et sa conviction que j'étais là
me poussèrent à répondre.

— Après tout, ce n'est qu'une île, dis-je d'un ton
égal. Ce n'est pas l'Atlantide.

— C'est important, Allert. Ouvrez la porte.

— Très bien, dis-je. Un instant.

— Si vous ne vous dépêchez pas, nous l'aurons
dépassée et il n'y aura plus rien à voir.

Je sautai de mon lit, boutonnai ma chemise, enfilai
mon pantalon, ouvris la porte. L'intense lumière de
midi, les jumelles disgracieuses dont la courroie pas-

sait autour de son cou, la rumeur accrue émanant des passagers impatients, tout était exactement tel que je l'avais prévu, la vie concrète virant au fantasme. Et à ma porte, ou presque à ma porte, elle souriait, sa petite main délicate posée sur les jumelles.

— Dites, Allert, demanda-t-elle d'une voix que seul je pouvais entendre, est-ce que vous dormiez ?

— Non, dis-je, fermant la porte derrière moi et saisissant un de ses bras frêles mais bien proportionnés, non je ne dormais pas. Je méditais. En fait, Ariane, je me demandais qui vous êtes au juste.

— Mais, Allert, vous le savez, qui je suis.

— Chose plus importante peut-être, je me demandais qui je suis au juste.

— Mais moi je sais qui vous êtes, Allert. Et cela suffit.

— C'est peut-être vrai, dis-je, contemplant la mer et pensant que cette déclaration était en un sens plus qu'une affirmation d'innocence... Peut-être le savez-vous vraiment, après tout. Mais où avez-vous trouvé ces jumelles d'homme ?

— Un de mes amis me les a prêtées, évidemment. Elles vont nous servir pour regarder l'île.

— Evidemment. L'un de vos amis. Mais dites-moi, demandai-je alors, revenant à une des questions auxquelles j'avais songé dans ma cabine : Quel âge avez-vous ?

— Vingt-six ans, Allert. Et vous ?

— Oh, moi je suis beaucoup trop vieux pour le dire, répliquai-je d'une voix plus sourde, plus blanche. Beaucoup trop vieux pour le dire.

— Comme vous voudrez, Allert. Ça m'est bien égal, votre âge.

— Mais il est probablement vrai, du moins dans

une aventure romanesque en mer, que plus la différence d'âge est grande, mieux ça vaut.

— Vous êtes de bien méchante humeur, aujourd'hui. Je voudrais bien que ça cesse.

— Tout à l'heure, dis-je alors — et je serrai le bras maigre —, dans un moment je vais vous rabrouer en néerlandais.

Elle se mit à rire, nous marchions du même pas, elle s'arrangea pour cogner sa petite hanche contre mon grand flanc rembourré, elle se remit à rire. Cependant il me sembla que, même alors, elle n'était pas encore complètement rassurée.

A ce moment, après avoir contourné la grande verrière à l'avant du salon panoramique, nous débouchâmes à longues enjambées et la main dans la main dans l'espace dégagé et éventé du pont avant où, exactement comme je me l'étais représenté, le groupe de passagers était réuni comme une bande d'oiseaux à la rambarde de tribord. Je constatai avec intérêt qu'ils étaient plus bizarres mais moins nombreux que je ne l'avais cru. Je remarquai en particulier un homme dont le corps n'était pas d'une virilité exceptionnelle, mais qui était nu à part un short kaki et un énorme chapeau conique vermillon tombant jusqu'à ses épaules. Une femme, lourde et effrontée, tenait un petit panier de rotin plein de fruits comme si elle allait le jeter rapidement par-dessus bord.

— Allert, chuchota Ariane pendant que nous nous faufilions jusqu'à la rambarde, ils vous regardent tous. Ils sont jaloux parce que vous avez une compagne si jeune et si attirante.

— Oui, répliquai-je tout bas, ils ne peuvent ima-

giner ce que nous fabriquons ensemble, mais ils se
font des idées.

— Oh, Allert, dit-elle, alors, posant soudain sa
main sur la mienne, le capitaine va sûrement se
fracasser sur l'île !

Pendant un instant il me sembla qu'Ariane avait
raison. Parce que l'île, une éminence sèche, dénudée, apparemment en forme de cœur, surgissait de la
mer à tribord juste au large de notre proue. Compte
tenu des différents angles de vue entre les mâts, les
cordages, l'horizon qui se réduisait, l'île qui approchait, et compte tenu de la vaste étendue de mer
dans laquelle le navire et l'île étaient les deux seuls
poins concrets — un fixe et un libre — et du fait
que l'espace entre eux disparaissait à la vitesse d'un
soupir, étant donné toutes ces circonstances il semblait vrai, en effet, que le capitaine nous exposait
tous à un risque inutile en changeant de cap et en
dirigeant la proue du navire droit vers ce cœur
aride de terre volcanique, si fermement ancré en
haute mer. Puis je me repris et m'aperçus que pour
la première fois depuis le début du voyage je n'étais
pas en accord avec Ariane, qui, après tout, était
capable d'autant de bon sens que moi.

— Regardez, dis-je d'un ton brusque, tout le
monde voit bien qu'il n'y aura pas de collision.

— Mais nous sommes très près de l'île, Allert.
Très près.

— Près, dis-je alors d'une voix radoucie, mais
en sécurité.

Nous changeâmes de cap à une centaine de mètres
de l'île. L'homme au chapeau vermillon poussa un
cri et braqua instantanément sur l'île brûlante le
téléobjectif de son horrible caméra, une caméra que

je n'avais pas vue car il la tenait appliquée contre
son œil dans le cône de son chapeau. Ariane et moi
demeurions tranquillement serrés l'un contre l'autre,
nous passant les jumelles noires. Ce faisant elle
laissait ses doigts glisser inconsciemment sur mes
fesses, tandis que moi, je mouillais du bout de ma
langue le point vulnérable derrière son oreille.

— Elle est si stérile, chuchota-t-elle, si magnifi-
quement stérile.

— Oui. Mais remarquez que les chèvres paraissent se débrouiller pour survivre sur une île sans
nourriture.

— C'est parce qu'elles sont irréelles, Allert. Voilà
pourquoi.

Mais les chèvres me paraissaient bien réelles, et
quoiqu'il ne semblât y avoir ni un brin d'herbe, ni
le moindre signe d'eau douce sur l'île, la congrégation
de chèvres se silhouettait, hirsute, sur la hauteur la
plus proche, regardant fixement ce qui devait lui
apparaître comme le spectre d'un bateau blanc fonçant sur son dernier jardin. Dans les jumelles je
voyais l'écume couronner leurs cornes aux spirales
serrées, je voyais les jeunes et les vieilles se presser
flanc à flanc, cornes mêlées, toutes plantées là avec
la certitude de survivre au sein d'une désolation absolue. Les bêtes étaient immobiles comme des rocs, mais
leurs cornes brillaient et leur robe à longs poils se
hérissait et s'ébouriffait dans l'espace nu du vent
océanique.

— Les chèvres sont bien réelles, dis-je, mais quel
étrange spectacle. Je dirais même un spectacle hallu-
cinant.

— Allert, dit-elle alors comme si elle ne m'avait
pas entendu, ne les laissons pas disparaître si faci-

lement. Venez les observer jusqu'à ce qu'il ne reste plus rien à voir.

Il n'était que trop clair qu'elle ne doutait pas de mon consentement et qu'elle n'en avait nul besoin, car elle avait repris les jumelles et se frayait déjà un chemin à travers la foule vers la proue du bâtiment qui semblait à présent longer l'île à une vitesse sans cesse décroissante. Ariane marcha d'un pas rapide, puis courut, puis reprit sa marche rapide pour aller enfin se poster à l'extrême bout du navire qui avançait au ralenti, où elle resta immobile, les jumelles lui rapetissant le visage, ses épaules dures appuyées contre la surface blanche, lisse et luisante du mât de pavillon.

Nous passions devant l'extrémité pointue de l'île, les chèvres s'estompaient, j'étais juste derrière Ariane pressée contre le bastingage et contre le mât, ses petites épaules nues voûtées par l'intensité de la contemplation.

Je clignai des yeux pour voir l'île en train de disparaître. Respectant la concentration d'Ariane, j'évitai de presser le devant de mon corps contre le dos du sien, mais j'attendis qu'elle eût fini d'observer, au-delà de notre sillage, l'île qui flamboyait d'un éclat de moins en moins vif dans la mer sombre. Ses cheveux volaient sur sa nuque, les extrémités du nœud de son soutien-gorge volaient entre ses omoplates que j'aurais si aisément pu couvrir, cacher, protéger dans le creux de mes deux mains. Pourtant il me sembla qu'Ariane, qui essayait de discerner encore la terre brune et les chèvres lointaines et tristes, était ravie mais en même temps désespérée, aussi décidai-je de ne pas presser le devant de mon pantalon contre le fond du sien, si doucement que ce fût, ni de poser le doigt à l'endroit où le vent agitait les fins cheveux sur son cou. A la poupe où nous nous tenions ensemble mais séparés, on n'entendait ni les machines ni les autres bruits du navire, car c'était le lieu le plus balayé par les contre-courants du vent, le chant du sillage, le battement des grandes pales juste au-dessous de nous et juste sous le chaos mousseux de la surface.

« Eh bien, dis-je enfin, je suis content que vous m'ayez réveillé pour cet événement. C'était intéressant à voir. Les chèvres abandonnées, cette île dénudée. »

Lentement, comme si une fois de plus elle ne m'avait pas entendu, ou comme si elle ne pouvait admettre qu'il ne restât plus rien à voir que le ciel vide, l'intolérable lumière du soleil, les étendues grises couleur d'acier à canon d'une mer à la fois plate et tumultueuse, lentement elle se retourna révélant son visage, défiguré jusqu'alors par les jumelles noires, s'adossa contre la rambarde, leva la tête pour me regarder, sourit et écarta un peu les jambes. Son expression était franche, claire, engageante. Je remarquai combien sa peau avait foncé depuis le début du voyage.

— Mais Allert, dit-elle alors, et ses yeux étaient grands, ses dents blanches, l'île que nous venons de longer m'appartient. Vous ne le saviez pas ?

— Souhaitez-vous vous expliquer plus clairement ?

— Oui. Oui, je le souhaite. Mais une autre fois.

Ensemble nous nous appuyâmes au bastingage pour regarder côte à côte ce que nous laissions dans notre sillage, et qui n'était rien. Mais si j'avais compris ce qu'elle voulait dire à ce moment je l'aurais meurtrie dans la douleur d'une étreinte désespérée.

*

L'eau coule à la surface de la vitre, dissolvant toute vision. L'eau est un vernis de lumière qui glisse de façon invisible sur le schiste noir. L'eau change la disposition des galets, si fermes et si blancs qu'ils ont l'air comestibles. L'eau froide jaillit de la fente du rocher, remplit le gobelet, charge d'un poids liquide le pot de terre, émerge en bulles froides du lit d'argile, gargouille et s'insinue à travers la mousse, s'écoule et goutte et s'accumule dans les arbres, le ruisseau, le verre élancé que je tiens dans ma main. Et je la bois comme je respirerais, la laissant remplir ma cavité buccale comme elle remplirait un creux dans les rochers, ou bien j'aspire sa clarté glacée contre mes dents de sorte que le froid me fait mal aux dents et au front. Ou je la garde dans la lourde poche qu'est ma bouche puis je l'engloutis, je la sens froide et claire se livrer à moi goutte à goutte ou en une courbe fixe et transparente qui sortirait d'un bec d'argent, d'un robinet de cuivre, d'un orifice de céramique aux lèvres laiteuses, et des profondeurs d'arbres noirs gelés. J'attends, je bois, je consomme cette eau froide qui excède ma capacité habituelle, faisant de ma personne un réservoir spongieux, et je souffre de la joie douloureuse de cet anesthésiant naturel dans les dents et les gencives et la langue et le palais. J'ai l'impression qu'on a planté un pieu au fond de ma gorge, un goût de rochers blancs et de fougères vertes m'emplit la bouche, je regarde deux grosses gouttes obéir aux lois de la physique dans l'espace vertical à l'intérieur du verre. Puis je gratte l'allumette, je prends l'antithétique

cigare entre mes dents de devant, j'accomplis la suite
du rituel d'allumage — aspirer, faire décrire à la
flamme de lents petits cercles de lumière — et alors
enfin le tissu blanchi de ma bouche rincée et vide
est baigné de fumée, baigné et inondé par l'épaisse
fumée grise qui a plus de saveur que jamais, une
saveur de fumier généreux extrait en mottes dorées
et brillantes d'une fosse profonde. Cette fumée,
fétide mais chérie, est par rapport à l'eau disparue
ce que Caliban était pour Ariel, qui tous deux n'exis-
taient qu'en pensée.

*

Quelquefois je m'entends dire *Ja-Ja-Ja* rapidement,
silencieusement, afin de mettre un peu de nerf
— pour utiliser le mot d'Ursula — dans ma lourdeur.
Ja-Ja-Ja, me dis-je intérieurement, et pas même en
néerlandais.

*

« Allert, dit-elle, tes petites amies ne me gênent
pas. Cela m'est égal que l'une d'elles passe quelques
heures, ou la nuit, à partager avec toi les plaisirs du
lit de la chambre d'amis. Tout cela est très bien,
c'est d'une certaine manière agréable, même pour
moi. Mais je te le dis, Allert, je me refuse à ce que
ton amie Simone s'asseye sur mon sac à main. Comment, au nom du ciel, as-tu pu ne pas t'en apercevoir ? Comment as-tu pu ne pas sentir ma mortifi-
cation, ma colère et ne l'as-tu pas enlevée de là en
la tirant par un de ses bras innocents ? Je te le dis,
quand j'ai vu cette femme assise avec une pareille

ignorance sur tous les secrets intimes de mon sac à main, comme une poule stupide donnant naissance par la voie anale à mon propre bagage utérin, je te le dis, j'ai commencé à douter de ton jugement, de ton goût et même de tes motivations. Je ne permettrai à aucune femme au monde de poser ses fesses sur mon sac à main. Que l'usage qu'elle a fait ainsi de ses fesses ait été inconscient n'en est que plus vexant. Alors je pense que nous sommes d'accord, Allert — plus de Simone. »

En écoutant ce monologue jusqu'au bout, je constatai que dans l'ensemble j'étais d'accord avec Ursula, car j'avais effectivement remarqué l'incident en question, mais j'avais réagi à son message symbolique avec un plaisir caché et quelque amusement, et non avec la fureur d'Ursula, qui me donnait, à l'entendre, comme un surcroît de honte. Mais d'autre part, pourquoi n'avait-elle aucun sens de l'humour ? Et pourquoi laissait-elle traîner son sac de cuir souple et lisse dans le vaste creux d'un des coussins du divan, à l'endroit précis vers lequel la pauvre Simone risquait d'être attirée sans le vouloir et de s'asseoir dessus comme quelque innocente victime sur une mine ?

C'était un incident insignifiant. Et pourtant je pris soin par la suite de ne pas faire de plaisanteries sur le sac d'Ursula. Quant à la pauvre Simone, elle ne s'étendit plus jamais nue, baignée par la lueur des bougies, sur le lit de notre chambre d'amis.

*

Ursula était pour moi une femme et toutes les femmes. J'avais plus de quarante ans quand nous nous sommes mariés et assez d'expérience pour me rendre compte, dès le début de nos relations, qu'Ursula était pratique, physique, mythique, et que la multiplicité de ses pouvoirs naturels n'était pas simplement le produit de mes projections personnelles ou même de la civilisation dans laquelle elle était née — comme un vent étouffé, un poing à travers une vitre — mais avait à l'origine été engendrée très explicitement par son seul nom. Utérin, lugubre, odorant, terreux, vulvaire, convoluté, salin, mutable, séducteur — les mots, les qualités se dégageaient sans cesse du son rond et magnifique de son nom, comme des abeilles sortent d'une ruche ou des petits poissons d'un tube. Elle a toujours été pour moi une femme et toutes les femmes parce que son comportement n'a jamais été prévisible, et en même temps, minute par minute durant les longues années de notre mariage, son physique a subi des métamorphoses constantes, passant du gras au maigre, du doux au dur, du lisse au rugueux, du maigre au gras — nonchalante, insistante Ursula, qui me quitte.

*

« Allert », me dit-elle, en masquant son visage d'un onctueux enduit nocturne d'épaisse crème blanche, « dis-moi la vérité. L'as-tu poussée à travers le hublot comme on t'en a accusé ? »

Je ne pouvais supporter cette question. Je ne pouvais croire à cette question. Je ne pouvais répondre à cette question. Je ne pouvais croire que ma femme pût jamais me poser cette question. Je ne pouvais me décider à répondre à cette question.

Pour moi les yeux d'Ursula continuèrent à remuer avec vivacité dans les trous du masque blanc et dans l'obscurité longtemps après qu'elle fut partie une fois de plus dans une de ses nuits sans rêves.

*

Ensemble nous avons assisté, Ursula et moi, aux obsèques de l'homme qui, il n'y a pas si longtemps, s'est tiré une balle dans la bouche pour elle. Ce qui me fait penser que, s'il était vivant, Peter aurait bien pu être au volant de l'auto d'Ursula quand elle partira. Mais il ne l'est pas. Quelque part j'ai gardé le billet écrit à Ursula par l'homme qui a laissé la vie de ma femme le pousser à un suicide réussi. Peter, lui, était assez avisé pour ne pas se tirer une balle dans la bouche pour elle.

*

« Allert », me demanda-t-elle un jour, « comment peux-tu distinguer ta vie de tes rêves ? Il me semble qu'il n'y a aucune différence. »

*

« M. Vanderveenan, dit-elle, voulez-vous venir un instant dans ma cabine ? J'ai quelque chose à vous montrer. »

Au bord de la piscine, hors de la présence de tout intrus, elle chevauchait le tremplin le plus élevé comme une enfant qui joue, tandis que je paressais debout contre l'échelle, drapé dans ma serviette. Elle avait grimpé jusqu'au tremplin supérieur et était maintenant à califourchon dessus, le dos à la piscine, de sorte qu'il nous était facile, à moi qui tenais la rampe d'aluminium et à elle courbée en avant les mains arc-boutées entre ses cuisses écartées, de nous regarder et de nous parler. Depuis combien de temps posions-nous ensemble dans ce tableau, je n'aurais pu le dire, mais en entendant son invitation je sentis que nous n'avions jamais existé autrement qu'ensemble dans notre scène d'attente mutuelle, et d'autre part que nous venions d'arriver au bord de la piscine et qu'il lui fallait encore plonger et qu'il me fallait encore l'aider à sortir de l'eau ruisselante et rieuse.

« Certainement », dis-je levant la tête et plissant les yeux pour la voir à travers les verres couleur chocolat de mes lunettes de soleil, « allons dans votre cabine. »

Elle descendit. Je la soulevai de l'échelle. En hâte nous nous essuyâmes, en silence nous prîmes nos babouches de paille, nos livres, nos serviettes, nos lotions, nos chapeaux de soleil. Sa peau était poudrée d'un pollen qui paraissait irradiant, je décidai que le petit deux-pièces en tissu élastique chair qu'elle mettait pour nager venait d'un grand magasin populaire à grosse clientèle. L'énergie qu'elle mettait à ses préparatifs, à enlever son bonnet de bain et ainsi de suite, me poussa à me dépêcher.

« Pas maintenant, M. Larzar », cria-t-elle à un homme aux épaules larges vêtu comme les autres officiers du bord d'un uniforme blanc plutôt minable, en lui faisant un signe du bras, « j'ai rendez-vous avec M. Vanderveenan ». Puis, s'adressant à moi :

— Il veut que je lui repasse son pantalon.

— Mais c'est une plaisanterie, dis-je tandis que

nous descendions vers la coursive obscure, ce n'est qu'une plaisanterie.

— Quand je fais une croisière, je repasse toujours les pantalons des officiers du bord. Je ne plaisantais nullement.

— Je vois, répondis-je. Moi en tout cas, je ne voudrais pas que vous repassiez mon pantalon.

— Forcément, vous n'êtes pas un officier du bord, dit-elle dans l'obscurité du couloir et elle se mit à rire, déplaça un peu les affaires qu'elle tenait dans les bras, détacha le crochet de cuivre, s'écarta pour me faire entrer le premier, puis ferma la porte.

Un blue-jean sur le lit dans l'attitude de son invisible porteuse en train de se faire violer, des sous-vêtements arrachés à une invisible corde à linge et jetés à travers toute la chambre, un second deux-pièces exactement pareil à l'autre mais accroché à l'un des pitons et flottant devant le hublot, et des produits de beauté et des papiers à démaquiller froissés et un bas unique qui avait sans doute moulé sa petite jambe menue, et des revues illustrées et des feuilles de papier à lettres et des sous-vêtements désassortis — d'un coup d'œil je vis que le contexte dans lequel se nichait, si l'on peut dire, sa netteté vestimentaire était un extrême désordre juvénile dont elle était apparemment inconsciente.

« Vous pouvez vous asseoir sur le lit », dit-elle, remarquant la vieille machine à écrire qui occupait le fauteuil rembourré et laissant tomber sans hésitation sa serviette, son peignoir, ses pantoufles et le reste sur la machine démodée dans ce gros fauteuil impersonnel.

— Poussez mes affaires pour vous faire de la place, dit-elle. Peu importe que vous soyez un peu mouillé. Est-ce que ma cabine vous plaît ? Est-elle aussi agréable que la vôtre ?

— Dites-moi, dis-je alors délibérément et gentiment, pourquoi sommes-nous ici ?

— Vous allez voir, dit-elle en s'agenouillant sur le lit défait où j'étais installé, mais j'aime cette cabine parce que son hublot ouvre directement sur le flanc du bateau. Chaque fois que j'en ai envie, c'est tout simple, je m'agenouille sur le lit et je me penche par le hublot pour humer l'odeur de la nuit ou regarder le soleil dans les vagues. Vous voyez ?

Tout en parlant elle s'était mise à genoux sur un oreiller, avait, d'une poussée, ouvert grand le hublot et était à présent penchée, la tête et les épaules dehors, le soleil tombant sur son petit dos étroit, tout son corps tendu concentré dans ses fesses presque nues, durcies par la flexion de ses jambes.

— C'est une démonstration très agréable, dis-je, mais personnellement elle m'inquiète un peu.

— Pourquoi donc ? demanda-t-elle en rentrant la tête à l'abri du vent, des embruns. Vous avez peur que je tombe ?

— Vous n'êtes pas bien grosse, et comparé à vous le hublot est grand et rond. Alors je n'aime pas que vous vous penchiez dehors. C'est un sentiment logique.

Elle s'agenouilla à côté de moi, scruta mes yeux, à deux mains elle recentra l'un de ses seins menus dans son petit soutien-gorge en lastex couleur chair, le soleil était une grosse boule de lumière sur le mur opposé.

— M. Vanderveenan, dit-elle, vous êtes comme une vieille fille. Je n'aurais pas cru.

— Je ne suis pas homme à me laisser taquiner

par les femmes — dis-je lentement, emplissant la phrase des cadences blanches de mon parler natal, et lui tendant une main que, durant un instant, elle retint légèrement — et je n'aime pas les éventualités que suggèrent les hublots ouverts.

Elle était assise sur ses talons, les genoux écartés, je voyais le contour d'une marque cousue dans le slip de son bikini ainsi qu'un petit assombrissement pubien qui dépassait, comme une dentelle naturelle, des bords de l'entre-jambes. La pression de ses deux mains sur ma main tendue était légère et naturelle.

— Très bien, dit-elle, je ne veux pas vous causer d'inquiétude.

Elle sourit, je remarquai juste au-dessous de son nombril une petite cicatrice qui avait la forme déplaisante d'un hameçon, un instant elle souleva ma main et l'effleura de ses lèvres sèches. Puis elle s'écarta de moi, se leva du lit et alla fourrager dans un tiroir ouvert, d'où des poignées entières de dessous bon marché avaient déjà été à demi tirées, comme par quelque fétichiste agressif. Quand elle eut fini par trouver ce qu'elle cherchait, elle se redressa de sa pose accroupie, exhibant avantageusement la rondeur et la symétrie de son petit derrière, et revint vers moi, serrant contre sa poitrine le long étui cabossé. Je me relevai de ma pose alanguie. Je m'assis au bord du lit. Elle prit place à mes côtés, l'étui sur les genoux, une odeur de poudre de talc émanant de sa peau éclatante.

« Alors », dis-je tandis qu'elle ouvrait l'étui, « alors vous jouez de la flûte. »

Elle acquiesça de la tête et sourit en apercevant dans l'étui les segments de l'instrument d'argent, ternis, je le vis, par les mille et une taches sentimentales d'une enfance pauvre, axée, au moins en partie, sur la musique. Puis lentement et adroitement elle se mit à assembler les segments du vieil instrument qui me faisait déjà penser à un serpent argenté atteint de paralysie. Il ne pouvait m'apparaître plus clairement que la pauvreté de son enfance avait dû ménager finalement une place pour la flûte, comme si cet instrument de musique, tel un nom inventé, devait s'avérer un moyen de fuir des clôtures brisées et une maison misérable. Il avait quelque chose de typique, me sembla-t-il ; et, une fois assemblé, l'instrument insolite m'apparut bien plus long que je ne l'avais cru.

— Eh bien, voilà une surprise, dis-je. Je ne savais pas que vous étiez musicienne. Est-ce dans votre enfance que vous avez appris à jouer ?

Elle hocha affirmativement la tête, tapota les petites clefs métalliques, disposa ses mains et ses coudes dans la posture contournée que prennent tous les flûtistes quand ils se mettent à jouer et essaya la grande lèvre d'argent de la flûte en l'appuyant contre sa propre petite lèvre, lisse et sèche.

— J'ai appris quand j'étais petite fille, dit-elle, sans retirer la vieille flûte cabossée de sa bouche enfantine. J'ai eu la chance comme écolière de jouer dans l'orchestre local.

— Et depuis lors, dis-je avec un rire, vous avez continué à jouer de la flûte. C'est une exploit étonnant. C'est tout à fait merveilleux.

— C'est bien ce que je pense. Et j'ai envie de jouer tout de suite pour vous.

— Certainement, m'écriai-je, emplissant mes paroles de peinture à la chaux, de canards et de soupe

aux pommes de terre. Un petit concert. Parfait, parfait.

— Je sais ce que vous pensez. Mais vous allez
voir que je ne joue pas de la flûte comme vous le sup-
posez.

— Allons, allons, j'écoute, dis-je en riant, essayant
de chasser toute condescendance de ma voix lourde.
Faites-moi entendre ce que vous savez tirer d'une
flûte.

— Très bien, répondit-elle alors. Mais ce ne
sera peut-être pas aussi simple que vous le croyez.
Vous comprenez, je joue nue.

Et là, dans l'attendrissante petite cabine en désordre, ce fut très exacement ce qu'elle fit. La porte
fermée à clef et le hublot largement ouvert au trident
menaçant du dieu des vacances, debout à portée de
mes deux mains serrées, lentement elle retira son
soutien-gorge de lastex, fit glisser jusqu'à terre le slip
du petit bikini, s'assit les jambes croisées au bout
du lit, prit l'instrument, arrondit les lèvres, me
regarda en face avec des yeux pleins de douceur et
se mit à jouer. Les quelques premières notes m'ému-
rent et me surprirent plus encore que sa nudité, car
c'étaient des notes de contralto profondes et prolon-
gées, tenues avec une puissance gutturale et une
expressivité qui évoquaient plutôt un Pan mélan-
colique qu'une banale petite jeune femme en croisière.

— Pardonnez-moi mon badinage, chuchotai-je en
me laissant retomber en arrière sur le lit défait pour
écouter la flûtiste nue et plonger mon regard dans
ses yeux. Vous êtes une musicienne accomplie.

D'une petite fille solitaire au milieu de vieux
hommes abrutis pinçant lascivement leurs cordes et

soufflant dans leurs trompettes bosselées, d'un orchestre scolaire composé d'enfants indifférents et incultes,
de journées passées à faire des exercices dans une
pièce sentant la bière et le plâtre humide, être partie
de tout cela pour en arriver à la nudité et à l'as-
surance et à la capacité d'émettre de sinueuses notes
graves assez fortes et plaintives pour apaiser les
vagues. Et je ne m'étais attendu à rien de ce genre,
à rien. Aussi restai-je allongé là appuyé sur mon
coude massif. Je bandais au fond de mon short de
bain humide, comme cela ne m'était pas arrivé depuis
longtemps avant que le port d'attache du navire ne
disparaisse, et pourtant j'étais profondément absorbé
par les sons de contralto bouleversants et par le
corps qui s'était dénudé pour l'amour même de la
musique. J'écoutais, j'entendais les ondulations harmo-
nieuses, je remarquais les poils à la fourche de ses
cuisses, languette de fourrure épaisse, je voyais le
tremblotement de la petite cicatrice blafarde et je me
rendais compte qu'elle ne reprenait pas son souffle,
que le son de la flûte était continu.

— S'il vous plaît, dis-je à voix basse, laissant
momentanément ma main recouvrir la butte de mon
sexe, s'il vous plaît ne vous arrêtez pas.

Sa bouche était mouillée, son regard ne quittait
pas le mien, sauf pour jeter de temps à autre un coup
d'œil par le hublot ou sur la lourde irrépressible
étreinte de ma main : pivot sur lequel j'oscillais très
lentement tout en restant allongé sur le côté. Et
durant toute cette invraisemblable aventure, à la fois
don et épreuve, elle ne parut pas s'apercevoir de l'incongruité de tout ce qu'elle m'offrait derrière la
porte verrouillée à claire-voie.

Et soudain, au milieu d'une phrase elle s'arrêta. Elle

écarta de quelques centimètres la flûte de sa petite bouche meurtrie et rougie. Les aisselles mouillées, les yeux fermés, sans sourire, ses petits seins jamais absolument immobiles, la vieille flûte argentée calmement tenue à l'horizontale, le chant évanoui, ainsi cessa-t-elle abruptement de jouer pour me parler comme s'il ne s'était rien passé.

— Maintenant j'aimerais vous soulager vite, dit-elle. Et voulez-vous passer la nuit ici dans ma cabine ?

Puis elle bougea et dans le silence de la cabine en désordre j'entendis toutes les notes basses de la flûte d'argent poursuivre leur route serpentine loin au-delà du hublot, dans l'immensité fugitive de la mer et du ciel.

*

J'étais debout à la poupe, les pieds écartés, les mains cramponnées au métal mouillé, le col ouvert, la cravate desserrée, la forme de mon corps dessinée par la pression régulière du vent invisible. L'aurore se levait, le soleil était clair, mon visage était mouillé, la proue acérée montait et descendait fortement et lentement comme prise dans un champ magnétique monstrueux agissant au ralenti. J'entendais une rumeur de voix lointaines qui aurait pu être celle de toute une ville et je sentais une faible odeur de terre proche, quoique à l'horizon il n'y eût pas le moindre signe de navire, de côte, d'île ou de cône volcanique. Juste sous mes pieds écartés je sentais le grondement de la chaîne d'ancre. J'entendais distinctement ce bruit terrible et je sentais les chaînes noires descendre, un gigantesque chaînon après l'au-

tre, comme si nous allions jeter les deux ancres et
rester à jamais au milieu de cette désolation naturelle
connue des seuls oiseaux.

Mais nous avons continué à tanguer et à avancer
dans cette mer du petit matin. Je me suis repris et
j'ai respiré à fond. J'ai songé à ma jeune amie et
nous avons poursuivi notre route.

*

Vers le début du voyage j'ai attrapé une éruption
cutanée. D'abord simple constellation de quelques
taches ou boutons autour du nombril, elle s'est lentement reproduite à la surface de mon ventre jusqu'à
devenir, des mois plus tard, un large anneau d'inflammation autour du nombril comme si on y avait
greffé la chair violacée de fraises mûres. Sans doute
ma peau en avait-elle recueilli les premiers spores
alors que, abrité derrière mes bras nus, j'observais
le corps fluet de la jeune femme assise seule au bord
de la piscine. La première graine avait dû se loger
dans mon œil. Ou peut-être l'éruption était-elle de
caractère sexuel et destinée à atteindre les organes
de la région lombaire et s'était-elle déplacée, on ne
sait comment, vers mon ventre réceptif ? Ce qui avait
commencé par un bouton ou deux avait éclos en un
grand champ circulaire dont le nombril était le
moyeu intact. Bientôt elle deviendrait, continue et
faiblement haletante, toute une ceinture d'humide
contagion.

*

Les deux petits personnages nus rampaient et se

tordaient dans ma main. Quoique la photo fût en fait
bien cachée dans la poche de ma veste, les deux personnages blancs étaient nettement là, minuscules,
se tortillant vigoureusement sur la peau lisse de ma
paume droite, comme si la peau rose et vivante de
cette paume était devenue une petite couche d'émulsion photographique développée, durcie et translucide.

Mais quand j'évoquai le sort semblable de la pauvre reine de Macbeth, puis frottai la paume fautive
contre le fruit de mes parties génitales, la petite
image démodée des amants nus s'effaça et disparut
de façon complète et définitive.

*

La porte de sa cabine était grande ouverte. Elle
repassait. Vêtue de son seul pantalon de cotonnade
collant et effrangé, de sorte qu'elle avait les pieds
et le torse complètement nus, elle me tournait le dos,
les cheveux relevés, suivant avec son fer à repasser
un pli du pantalon blanc. Je m'arrêtai à peine, mais
cela me suffit pour voir les marques de doigts le
long de la colonne vertébrale, les ombres mouvantes
au bord des petites omoplates et sur la nuque, les
marques de dents imprimées en rouge par l'élastique
de son slip, la peau neuve et luisante du haut des
fesses près de l'endroit où l'enserrait la ceinture de
cuir, l'impression fugitive d'un petit sein nu que
l'effort de cette tâche féminine faisait partiellement
apparaître. Et mon passage accidentel suffit à me
révéler que le robuste mollet velu de l'homme allongé
en train de lire sur son lit défait en attendant la
restitution du pantalon, le visage caché derrière un
hebdomadaire ouvert et une jambe rude et velue

levée et pliée au genou, n'appartenait pas du tout
à l'opérateur-radio, comme je l'imaginais, mais à un
autre officier du bord, nouveau bénéficiaire de la
générosité de mon amie.

Je me forçai à aller jusqu'à la piscine où je
plongeai immédiatement jusqu'au fond pour disputer
un peu de souffle, de temps, d'angoisse, de paix aux
autres ombres que j'y trouvai cachées.

*

Dans mon rêve la nuit est pure et obscure comme
un négatif noirci, et pourtant je perçois bien le
champ au bord duquel je me trouve et le château qui
se détache en ombre chinoise, je ne sais comment, de
l'autre côté du champ, quoique l'horizon ne soit pas
visible. Je reste là debout, et je me rends compte
qu'il n'existe rien d'autre au monde que la nuit, le
château de pierre, le champ vide et moi. Le château
et le champ sont lourds de signification bien que je
ne les aie vus ni l'un ni l'autre dans ma vie passée.

En traversant le champ à pas lents et précaution-
neux, résolu à atteindre à tout prix le bâtiment de
pierre menaçant et pourtant familier, je m'aperçois
qu'il est recouvert sur toute son étendue en pente
douce d'énormes mottes rondes et molles de fumier
de vache. Elles sont rondes comme des galets, épaisses
comme toute la largeur d'une main d'homme, spongieuses dedans et croûteuses dehors, molles et élastiques et pourtant capables de supporter le poids
d'un homme lourd, mais le risque demeure de
percer la croûte et de s'enfoncer dans la fange à
l'intérieur. Je choisis avec soin les endroits où je pose
les pieds, mais en même temps j'avance dans le champ

précaire avec un sentiment d'exaltation, parce que
c'est un champ qui n'a encore jamais été traversé
par personne. Soudain je sais que les formes qui
traînent comme des mines sombres et spongieuses
sous mes pieds ne sont pas formées de bouse de vache
comme je l'avais cru, mais de sang coagulé. Avec
crainte et une certaine exultation je me rends compte
que je traverse un champ de sang. Et je sais également que tout en avançant vers le château je
remonte aussi, je ne sais comment, dans le temps.

Je marche prudemment. Je ne veux pas percer
les croûtes et m'enfoncer jusqu'aux chevilles dans
du sang coagulé, et pourtant il faut que je traverse
le champ et je le fais à la fois avec plaisir et avec
crainte. Les mottes de sang ont été disposées sur la
surface sombre du champ bord à bord, symétrique-
ment, et elles me paraissent d'une part fraîches et
humides et de l'autre vieilles et longuement fermen-
tées comme du fromage ou du fumier.

Entre la lisière opposée du champ et la façade de
pierre sombre de la demeure seigneuriale, il y a un
fossé. Je suis certain que le fossé existe et pourtant
je ne le vois pas et je ne fais aucun effort pour le
traverser, quoique j'aie conscience d'avoir effectivement franchi ce fossé vide au milieu de l'immuable
nuit.

J'approche de l'imposant château par le côté, me
dirigeant comme par un instinct parfait non vers la
grille principale, mais vers une autre entrée plus
petite dans l'épaisse muraille latérale. Je sais où je
vais, je suis maître de moi et cependant je sais aussi
que je n'ai pas d'histoire, pas de souvenirs du passé,
de sorte que ma vie, qui a son caractère propre, ne
dépend que du champ, du fossé, de la nuit et de ce

qui va m'arriver à l'intérieur du château. Je connais le chemin. Il n'y a rien d'autre.

Le château est vide. J'y entre comme si j'avais un plan pour me guider et je découvre que le grand bâtiment de pierre ne comporte qu'une seule vaste salle qui est vide, poussiéreuse et froide, du sol au plafond dépourvue de fenêtres et désolée, à l'exception d'une petite construction qui se dresse effrayante comme un autel au centre du sol de pierre. Raide, les mains pendantes, je me tiens face au monument sacré dont la hauteur est double de la mienne et qui est circulaire à la base et pointu au sommet — comme quelque tente tribale de la préhistoire — et entièrement couvert de peaux de bêtes sèches et sans poils.

Les peaux sont dures, écailleuses, ridées et absolument glabres. La lumière dans la vaste salle de pierre est grise, l'air est froid, le monument de peaux mortes m'est à la fois familier et étranger. Lentement et conscient seulement d'être moi-même neutre et d'accomplir un acte chargé de résonance, lentement je m'agenouille, j'introduis mes doigts dans la couture qui joint deux des grandes peaux du bas et lentement je les écarte en tirant jusqu'à ce que le trou obscur soit suffisamment grand pour que je puisse y pénétrer à quatre pattes. C'est ainsi que moi, un homme dans la plénitude de son âge mais réduit à présent à cet unique dessein bizarrement dénué de passion, à quatre pattes je faufile ma tête, mes épaules, mes hanches et mes fortes jambes à l'intérieur de la seconde construction où, en un accroupissement vide de sens, je contemple la désolation de mon propre commencement. L'espace circulaire et conique à l'intérieur des peaux mortes

ne contient absolument rien qu'un plancher poussiéreux et un petit âtre de fonte partiellement couvert
d'un tas de cendres qui sont à la fois sèches et humides.
Le feu est éteint, les cendres sont là depuis si longtemps que, par endroits, elles sont devenues cris-
tallines, je vois quelques os et plumes enfouis comme
des reliques nordiques dans les cendres mortes. A
présent je me rends compte que j'espérais plus, que
j'attendais plus et cependant, au cœur de ce silence
et de cette immobilité, je me rends compte aussi que
ma déception n'est rien comparée au voyage que je
viens de faire et à la réalité stérile que je viens de
découvrir.

Quand j'ai raconté ce rêve à Ursula méticuleusement, dans tous ses détails, en soulignant qu'il était
essentiel dans ma vie, car peu d'hommes ont la
chance et le courage d'entreprendre ce voyage, elle
s'est bornée à répliquer que cette matrice inhospita-
lière à mes pulsions régressives était de toute évidence
celle d'une autre, pas la sienne. Sa propre matrice,
m'a-t-elle répondu, était toujours tiède et accueillante,
comme je devais bien le savoir.

*

« Mais ta comparaison avec un cloaque me paraît
fausse », dis-je, attendant qu'elle me fît face dans le
fauteuil de cuir. « Je suis tout simplement amoureux
de Psyché. Je l'ai toujours été. Or je sais que, chaque
fois que j'en exprime le besoin, je peux compter
sur ma Psyché pour m'envoyer un nouveau seau de
fange. Contrairement à toi », dis-je en examinant
le niveau de l'eau dans mon verre transparent, « je
n'ai pas peur de la fange de Psyché. Je ne la trouve

pas répugnante. A vrai dire je ne pourrais pas vivre
sans recevoir périodiquement mon contingent de
seaux. Maintenant dis-moi », demandai-je, sentant
que le cigare voguait vers mes doigts dans la semi-
obscurité, « ne trouves-tu pas ma comparaison meilleure que la tienne ? Elle est plus exacte, Ursula,
plus juste, plus compatissante. »

*

« Allert, dit-elle, t'es-tu jamais rendu compte que
tu as un visage de fœtus ? Les yeux, les mâchoires,
le teint florissant, tout cela est trompeur. Si tu
regardes d'assez près, tu verras, comme je viens de
le voir, que tu as un vrai visage de fœtus. C'est peut-
être pour cela que tu rêves ta vie au lieu de la vivre. »

*

Dans mon rêve il fait nuit dans le parc qui entoure
l'hôpital de Peter. J'ai l'impression de n'avoir jamais
vu ce lieu avant et pourtant je le connais bien. Le
domaine des Champs Sauvages, comme on l'appelle,
s'étend sans limites dans la nuit, j'ajoute qu'il est
entretenu avec soin par des jardiniers encapuchon-
nés et emmitouflés et que finalement il s'arrête au
périmètre du haut du mur de briques sinueux. Tout
cela je le sais d'une certaine manière sans même laisser les mots me venir silencieusement à l'esprit. Mais
à présent la pluie tombe à travers les grands arbres,
dans chaque petit pavillon blanc brille une unique
ampoule nue. Et je suis requis par quelque chose,
préoccupé, j'ai une tâche urgente à accomplir pour
laquelle il me faut l'aide de Peter.

« Peter », dis-je dans le rêve, « il faut que je te parle. »

Nous sommes dans le bâtiment principal, et Peter, en blouse blanche, est entouré par un groupe de jeunes gens et de jeunes femmes. J'ai le visage et les vêtements mouillés, il n'a pas envie de me prêter attention. Les jeunes gens et les jeunes femmes sont trop attirants, trop intéressés par ce qu'il est en train de leur dire de son ton mélodieux et confidentiel.

« Peter », dis-je et il me regarde enfin par-dessus l'épaule d'une jeune femme blonde et mince. « Pourquoi est-elle ici ? Elle ne devrait pas être ici. Elle est différente de toutes les autres, elle est tout à fait particulière. Si tu ne m'aides pas, Peter, qui sait le mal qu'ils sont capables de lui faire en croyant à tort qu'elle aussi est une de vos malades. »

Il pleut, ma vieille chemise blanche sent comme si on l'avait arrosée avec du jus de clams, j'ai les pieds nus. Et je suis tourmenté par le problème de la sauvegarde d'Ursula. Mais Peter sort un gros stylo noir, du genre professionnel, de la poche de poitrine de sa longue blouse blanche et, sur une serviette en papier spongieuse, écrit ce que je suppose être des instructions pour les invisibles infirmiers qui vont soit libérer Ursula, soit lui faire du mal.

J'accepte les instructions, je remercie, je constate que Peter remet le gros stylo dans la poche de poitrine de sa longue blouse blanche. Il paraît se désintéresser complètement d'Ursula ou de mon impatience inusitée. Les voix des jeunes gens et des jeunes femmes ruissellent d'admiration, comme si Peter était leur grand homme en même temps que leur médecin. Les instructions à la main, je ressors précipitamment

dans la pluie qui est devenue un mélange de brume
blanche et d'eau gouttant des feuilles.

La lumière dans le pavillon d'Ursula a une odeur
de suif. L'ampoule est nue et jette néanmoins une
lumière orange sur tout l'intérieur humide de ce
petit pavillon blanc bien isolé dans lequel Ursula
est en train de s'installer, d'assurer son confort,
comme si le pavillon donnait sur une plage déserte
au lieu d'être au milieu du parc de l'hôpital de Peter.
Dans le pavillon il n'y a personne d'autre qu'Ursula
qui déplie un drap, vide sa valise, rien qu'Ursula
sans méfiance et personne à qui je puisse montrer
les longues instructions manuscrites de Peter ordon-
nant qu'on la renvoie chez elle, à son jardin, à ses
revues illustrées, à son mari. En tout cas, en jetant
un coup d'œil sur les instructions, je vois que la serviette en papier a absorbé la pluie et que l'encre a
été irrémédiablement estompée.

« Ne vois-tu pas où tu te trouves ? dis-je. Ne com-
prends-tu pas ? »

Mais elle se borne à sourire et à lisser le drap,
tandis que moi, avec angoisse et un sentiment de
frustration, je remarque que le pavillon est mi-garage,
mi-habitation, de sorte que l'ambulance peut y entrer
pour déposer le malade rebelle directement dans le
lit qui l'attend. Et je prends note aussi des courroies
bien rembourrées attachées au lit, de la cuvette
émaillée sous une table grossière, de l'odeur de je ne
sais quel médicament terrible qui traîne dans l'air
humide.

La lumière orange, l'odeur de bougie allumée,
l'odeur de médicament, le rembourrage, épais comme
mon bras, des courroies du lit, c'est un décor de

théâtre qui m'est à la fois familier et étranger et dans lequel j'ai plus peur que jamais.

« Il faut s'en aller », dis-je tout bas, « il faut partir tout de suite. »

Mais Ursula se borne à sourire en se penchant sur le lit, et elle tire sur la manche de sa robe jaune très simple qui en retombant a laissé entrevoir la rondeur de son épaule parfaite, puis elle parle. « Tant que Peter est ici, me dit-elle, nous n'avons rien à craindre. »

Quand j'ai raconté ce rêve à Ursula, elle a observé que le médicament de mon rêve était selon toute vraisemblance de la paraldéhyde dont elle se rappelait avoir entendu parler quelque part autrefois. Puis traversant la pièce elle s'est approchée du fauteuil de cuir où j'étais assis et, me regardant de haut, m'a dit que jamais, jamais, je n'arriverais à l'envelopper dans le drap caoutchouté, selon son expression, de mon inconscient destructeur et qu'en outre je ferais bien de considérer ce rêve comme un avertissement quant à l'état non de sa vie psychique à elle, mais de la mienne.

A ce moment l'idée me vint une fois de plus qu'Ursula était parfaitement capable de se défendre psychologiquement à mes dépens. Puis j'ai commencé à m'interroger sur la raison qui l'avait poussée à utiliser la métaphore du drap caoutchouté.

*

« As-tu fait cela ? » demanda-t-elle en serrant les roses contre ses seins. « L'as-tu fait, Allert ? Réponds-moi. Je veux le savoir. »

*

L'odeur de la mer âpre sous le quai, entre le
bateau et le quai, et l'odeur de bois, de goudron, de
peinture fraîche, de pétrole, de sel, d'huile de machines léchant l'intérieur d'énormes cylindres d'acier,
et l'odeur de parfum et de bancs de poissons morts
au loin et des segments neufs des grosses haussières
tendues au-dessus du quai bondé comme des filets
pour prendre les étourdis, au milieu de tout cela
j'avais l'impression de porter sous mes vêtements
une combinaison d'homme-grenouille. Agrippé par
le sifflet à vapeur, mon corps se noyait dans son
propre souffle. A l'intérieur de la peau de caoutchouc
j'étais un être qui produisait contre son gré son
propre lubrifiant personnel de graisse empoisonnée.
Tandis qu'Ursula me poussait vers la passerelle d'em-
barquement je me sentais sombrer. Pendant un instant j'aspirai au rapide coup de bistouri du chirurgien
comme si j'étais mon propre ulcère et que seul le
froid bistouri ponctionnant du chirurgien pouvait
me soulager.

« C'est follement excitant, Allert », dit-elle dressée sur la pointe des pieds, les lèvres à mon oreille,
« tu ne trouves pas ? »

*

« Allert, dit-elle, je voudrais bien que tu cesses
de poétiser mon entre-jambes. Ce n'est jamais qu'un
élément de mon anatomie après tout. Il n'y a rien
en lui de mystérieux. Il n'a rien que de banal, du
moins pour toi. »

« Il est exact », murmurai-je en cherchant le cendrier à tâtons dans l'obscurité, « que j'ai une connaissance intime de ton anatomie. Mais tu pourrais aussi bien essayer de me persuader qu'une conque marine, par exemple, n'est pas mystérieuse. Tu ne m'en convaincras jamais, Ursula. Jamais. La conque marine et son analogue dans l'anatomie humaine sont des mystères. On ne récuse pas l'imagination. »

*

Hollandais, monstre du rêve, chef de famille, je m'éveillai soudain et me redressai d'une poussée au milieu des oreillers. L'air n'était ni chaud, ni froid et pourtant la nuit glacée avait, semble-t-il, pénétré dans la maison, de sorte que la moquette sentait les feuilles mortes et que l'obscurité se fondait avec les étoiles nocturnes. Je n'éprouvais aucun désir sensuel conscient, j'avais seulement envie de voir la neige dehors. Je m'arrachai d'un élan à la mollesse et à la chaleur de mon énorme lit, trouvai ma robe de chambre et tout en l'attachant allai à la fenêtre. En bas la neige était une fine croûte blanche inviolée étalée comme avec une truelle de la maison jusqu'à la lisière noire des arbres dénudés dans le lointain. A la lueur des étoiles l'arrière givré de l'auto de Peter était tout juste visible à côté de la maison. Je respirai à fond, une fois, puis une autre et à travers les années, les ténèbres, le froid de cette nuit mouvante, je flairai durant un instant le parfum de fleurs fugitif et évocateur, qui avait jadis rempli mon enfance.

Je pressai ma joue contre la vitre froide et décidai de pardonner à Ursula d'avoir dit devant Peter que j'avais un visage de fœtus.

Sa porte était close. Faite de chêne robuste, elle était fermée avec ce quelque chose de définitif propre aux maisons sans lumière, aux théâtres de messe noire, aux pièces silencieuses. Mais la porte de la chambre à coucher d'Ursula n'était pas verrouillée, comme je m'en aperçus dès que ma main tiède se referma sur la sphère froide en cuivre massif qui lui servait de poignée. Je n'entendis pas moi-même tourner la poignée de la porte. Je n'entendis ni le son de ma respiration, ni le froissement de ma robe de chambre, ni le bruit de mes pieds nus sur le tapis de haute laine blanche d'Ursula. Et pourtant Ursula dut entendre le moindre de mes mouvemens et l'onde même de ma volonté de ne faire aucun bruit, car sitôt que j'entrai dans sa chambre, fermant la porte derrière moi, et que je m'approchai de son lit, parfaitement visible grâce aux froides étoiles et à leur réverbération sur la croûte de neige, elle me parla clairement mais doucement pour ne pas réveiller Peter qui dormait à ses côtés.

« Allert », dit-elle dans la lumière argentée, « que veux-tu ? »

Sa voix était basse, distincte, douce, féline, ni charitable ni dure, ni bonne ni mauvaise. Dans les draps parfumés au milieu des oreillers dans leurs peaux de satin et de l'édredon couleur de pêche bourré de duvet de caneton, elle était allongée la tête tournée vers moi et la mâchoire de Peter plantée contre son épaule comme la pointe d'un crochet. Elle avait les yeux fixés sur moi. Peter ronflait.

« Va-t'en, Allert », dit-elle alors, calmement, simplement. « Peter a besoin de dormir. »

Le pyjama blanc de Peter par terre, la courte

et transparente toge romaine d'Ursula au pied du
lit, la chaleur des deux corps nus sous les couvertures
moelleuses tirées jusqu'à leur poitrine, la sensation
des yeux d'Ursula sur les miens et la vue des muscles
du cou et des épaules de Peter qui semblaient rape-
tissés et moulés dans de l'argent sinueux, l'instant était
si familier, paisible et même attirant, que je n'avais
nullement l'impression d'être un intrus et que je ne
me sentais en rien blessé par la dureté des paroles
d'Ursula.

J'enlevai ma robe de chambre, je laissai tomber le
pantalon de mon pyjama, de mes doigts trapus je
frottai les poils sur ma poitrine et autour de mes
mamelles.

— Très bien, dit-elle, alors que je rabattais les
couvertures, que le ronflement s'arrêtait, qu'elle se
soulevait sur un coude, que je pensais à l'auto de
Peter en bas dans la nuit glacée... très bien, allons
dans ta chambre.

— Non, Ursula, répliquai-je, me glissant sous les
couvertures comme un vaisseau dans la nuit et
m'étendant tout le long de la chaleur et de la douceur de sa nudité, cette nuit je préfère ta chambre.
Pas la mienne.

Elle ne dit rien. Le ronflement reprit. Soigneusement j'écartai la main de Peter de là où je la trouvai,
sur le ventre d'Ursula qui était fauve et plein du
soleil du matin, de la crème du soir.

— Si tu te maîtrises, dis-je d'une voix basse qui
convenait à des lits généreux et à des jeux nocturnes,
il ne se réveillera pas. Crois-moi.

— Allert, chuchota-t-elle, ce n'est pas drôle.

— Mais c'est exactement ce que je supposais, chuchotai-je, tu n'as jamais été plus prête. Jamais.

— Mais as-tu oublié Peter ?

— Laisse-le dormir.

— Voyons, c'est impossible. Cela n'a aucun sens.

— Sauf pour moi, Ursula, pour moi. Et c'est ainsi que je veux que cela se passe.

Le matin nous nous attablâmes ensemble dans le recoin de la fenêtre pour manger les œufs d'oie cuits par Ursula, qui ne portait toujours que sa toge romaine à travers laquelle le soleil brillait de la même façon qu'à travers les vitres transparentes. La lumière matinale, les verres d'eau froide, les cubes de beurre qui s'enfonçaient au milieu de chacun des gros œufs blancs à la saveur indomptée et aux coquilles décapitées, et l'arôme du café et le contraste entre Ursula dans sa quasi-nudité coutumière et Peter et moi en robes de chambre de lainage écossais, la paix profonde et la netteté du moment — tout cela me rendait conscient de façon plus certaine que jamais du rapport entre le froid du dehors, où les oies cacardaient, et la chaleur du dedans.

— Je vois maintenant, Allert, dit-il, en levant son verre limpide, en levant sa cuillère, que tu es, toi aussi, capable de tromperie. Ce n'est pas une idée agréable. Absolument pas.

— Mais Peter, objectai-je aimablement, n'oublie pas que je suis le mari.

— Ni toi, mon ami, que je suis l'amant.

— Mais Peter, dit Ursula, nous interrompant et introduisant sa main nue sous la robe de chambre de Peter... si nous pardonnions à Allert ? Nous devrions, je crois.

— Bien sûr que nous lui pardonnerons, dit Peter

souriant et sans faire attention à la main d'Ursula :
Le moment venu.

Sous la table le pied nu d'Ursula tâtait le mien. A
la lumière du soleil Peter avait le long visage maigre
d'un inquisiteur espagnol.

*

« Ton grand tort, Allert », déclara-t-elle en se
dépouillant de son bikini jaune vif et restant debout,
solide, douce et nue sur la plage de Peter, « c'est
de te prendre pour Casanova. Ce que tu fais est une
chose, ce que tu penses de toi-même en est une autre.
Et tu te prends pour Casanova. Mais toutes les aven-
tures romanesques du monde ne signifient pas que
tu aies de l'attrait pour les femmes. Tu ne comprends
pas ? »

Mais cette idée, comme beaucoup des idées d'Ursula, était complètement fausse. Je n'ai jamais eu,
fût-ce un instant, une pareille notion de moi-même.
Je ne me suis jamais considéré avec orgueil. La longue
tresse de cheveux d'or qui pend de la fenêtre de la
tour ne m'intéresse pas.

*

Nue et à quatre pattes sur le divan de cuir dans
l'obscurité, enveloppée dans sa nudité fauve comme
une autre se serait revêtue d'une peau de lion, appuyée
sur les genoux et les coudes, les fesses levées haut et
luisantes comme si elles étaient enduites de beurre
fondu, elle se balançait et attendait dans l'obscurité
que Peter ou moi se lève, s'approche et profite de sa

position sur le divan. A voix basse elle roucoulait
une invite dont le sérieux n'était pas douteux.

Je fus le premier à bouger.

*

Quand elle s'en ira, quand elle sera finalement
partie, quand elle en aura fini avec tout le processus
du départ et disparaîtra enfin, aurai-je dans tout cela
gagné quelque chose ? Je ne m'attends pas à avoir le
sentiment d'une perte, à des heures de chagrin acca-
blant. Mais y a-t-il une possibilité de gagner quelque chose ? Ursula me quitte délibérément. Ursula
a l'intention de se priver de ma déplaisante présence,
de neutraliser mon acide par son départ. Mais Ursula
attend aussi un enrichissement de la vie inconnue
qu'elle compte mener. Trouverai-je un enrichissement à rester seul ? Dans le vide découvrirai-je la
liberté ? Réclamerai-je de nouveau Simone ? Ecri-
rai-je des lettres et téléphonerai-je au loin pour
que certaines au moins des femmes que j'ai connues
autrefois me reviennent ? Il est plus que probable
que je n'écrirai pas de lettres, que je ne donnerai
pas de coups de téléphone, que je ne ferai rien. Il est
plus que probable que c'est Ursula que je laisserai
s'enrichir. Mais, quoi que je fasse ou si longtemps que
je demeure à la fenêtre, jamais plus je n'engagerai
ma vie dans un mariage. En ce qui concerne le
mariage je partage entièrement la lourde violence
d'Ursula. Je suis heureux d'admettre notre accord
total à propos de la robe de mariée embrasée, du
cigare dans le noir.

*

En jetant un nouveau coup d'œil sur la foule massée sur le quai, je vis qu'elle ne me faisait plus de signes d'adieu, mais qu'elle balançait son sac à main d'avant en arrière au bout de sa lanière de cuir et me regardait fixement, levant vers l'endroit où je me trouvais appuyé à la rambarde un visage qui n'était que sensuel et vide de toute expression. Puis elle n'a plus été là, comme si ce bateau blanc ne devait jamais plus revenir à son port d'attache. Les corbeilles de fleurs entassées sur le pont me rappelaient les massifs de fleurs vivantes dans un crématoire. Les flammes de la chambre des machines se réfléchissaient sur le pont. Le premier coup de sifflet me perça le corps de part en part comme un rayon invisible. Nous commençâmes à bouger.

*

Dans le noir je sentis par le hublot ouvert un parfum de fleurs d'oranger, un arôme de poussière morte, une odeur de citron arrivant par bouffées de quelque colline lointaine et même quelques faibles traces d'huile d'eucalyptus flottant juste au-delà de la portée des vagues. Mais quand j'eus enfilé maladroitement mon pantalon pour sortir sur le pont et en découvrir l'origine, m'exposant une fois de plus aux ténèbres et à l'air humide de la nuit, je me rendis compte que nous étions encore à deux ou trois jours de notre prochaine escale. Je ne restai à la rambarde qu'un moment, mais assez longtemps pour être découvert par Ariane et éveiller sa crainte.

Elle émergea de l'ombre, elle hésita, elle s'approcha, elle se cramponna à mon bras.

« Alors, toi aussi tu as des sentiments de ce genre, chuchota-t-elle. C'est bien ce que je pensais. »

En guise de réponse je l'entraînai soudain dans ma cabine obscure, la jetai brutalement sur le lit en désordre et la meurtris dans la souffrance de mon étreinte désespérée.

*

C'est au crépuscule que nous sortîmes en glissant de sous les arbres et que nous traversâmes la dernière pente blanche en direction de la maison de campagne de Peter. J'entendis le chuintement de nos skis dans la neige, je sentis l'odeur de résine dans l'air froid, j'entendis leurs rires quand Peter et Ursula se mirent à mimer par jeu un duel à l'épée en agitant leurs bâtons de bambou. La lumière des étoiles perlait de façon singulière à travers les dernières lueurs du jour, de sorte qu'il y avait dans l'atmosphère grise et froide un soupçon de rose. Ursula perdit l'équilibre, fit saillir sa croupe, écarta largement ses skis, se rétablit. Une petite cloche solitaire sonna dans un village lointain, dont un sacristain solitaire et transi devait tirer la corde, et Peter fit claquer ses skis sur la neige.

« Eh bien, Allert », dit-il en se débarrassant de ses skis, de ses moufles, de ses bâtons de ski et du gros chandail tricoté décoré de deux cerfs noirs anguleux sur un fond de laine blanche, « c'était une bonne façon de passer l'après-midi, tu ne trouves pas ? »

« J'y ai pris grand plaisir », dis-je, me remémorant

les cris enjoués, les plates heures blanches, les arbres noirs qui saignaient au bord de notre chemin. « Les promenades à ski avec toi sont toujours agréables. Ursula elle-même s'anime d'une belle fougue en de telles occasions. N'est-ce pas, Ursula ? »

Elle souriait, nos visages étaient enflammés, nos chaussures craquaient, nos skis étaient correctement posés à la verticale dans le porte-skis contre le mur blanc de la maison. Nous avons tapé des pieds pour faire tomber la neige collée à nos chaussures, nous avons ri, nous nous sommes enlacés tous trois en nous tenant par les épaules, Peter gratifia Ursula d'un baiser prolongé. Quand ils se séparèrent, transis mais la peau cuisante, les premiers rares flocons blancs commençaient à tomber.

— Ainsi, dis-je perçant du regard la nuit tombante, demain il n'y aura aucune trace des endroits où nous sommes allés aujourd'hui.

— Quelle observation étrangement acerbe, mon ami, dit Peter. Venez, allons nous offrir du rhum brun et une belle flambée.

— Peter est gentil, dit alors Ursula sans que son aimable coq-à-l'âne fût justifié par autre chose qu'un caprice personnel. N'est-ce pas qu'il est gentil, Allert ?

— Un peu vieux, murmurai-je — songeant à un château blanc, un champ obscur, une nuit de glace —, mais un excellent ami.

— Mais Peter est dans la fleur de l'âge, Allert. C'est ce que je voulais dire.

— Eh bien dans ce cas, j'en déduis qu'il mérite encore un de tes baisers mouillés.

— Exactement, dit alors Peter en serrant la taille d'Ursula, mais devant le feu. Devant le feu.

Les peaux de bêtes étaient entassées devant la cheminée comme d'habitude et le feu flambait vigoureusement. Les mâchoires de l'ours polaire dans lesquelles Ursula avait, par une nuit moite, jeté une chope de bière, la dépouille de tigre qui était usée et lisse comme une carte géographique faite de poussière et de sable, les longs poils sombres et soyeux d'un buffle d'eau mort et décapité depuis longtemps se trouvaient là, rehaussés comme d'habitude par des petits coussins moelleux de couleurs vives et par le reflet du feu. Dans la grande pièce totalement obscure en dehors du feu, les pelages et les coussins constituaient une île de sensualité dans une mer froide, et comme d'habitude ce fut Ursula, et non Peter ou moi, qui devint le naufragé en train d'attendre sur cette île flottante. Elle s'enfonça dans la fourrure du buffle d'eau, elle bâilla, à plat ventre elle souleva le bassin pour le poser sur la tête de l'ours, elle sourit comme une enfant à la lumière du feu, elle s'assit pour prendre le gros verre que lui tendait Peter.

« De la gnôle pour Allert, du rhum pour toi et moi, dit-elle. Mais tu as oublié ton baiser mouillé », et elle attira la bouche de Peter vers la sienne. Quant à moi, allongé au bord de la peau d'ours polaire, j'avalai quelques gorgées rapides et je remarquai la texture grossière du pantalon que portait Peter et le bourrelet de chair tiède entre la taille du pantalon de ski d'Ursula et le bas de son chandail noir à col roulé. Mes pieds en chaussettes étaient croisés à la cheville, je remuai les orteils, je vis un instant la familière petite obturation en or de l'incisive gauche d'Ursula quand Peter arracha sa bouche à la sienne en feignant pour rire d'être à bout de souffle.

« Encore de la gnôle, mon ami ? Sers-toi, je t'en prie. »

Tout autour de nous, la maison était vide, remplie d'ombres, de lits froids, de persiennes closes. Et de la chaîne haute-fidélité poussiéreuse, dans un des angles ténébreux de la pièce froide où nous étions étendus, nous parvenait le son d'une demi-douzaine de flûtes à bec baroques chantant avec l'impassibilité d'oiseaux artificiels. J'entendais la musique, je goûtais la saveur de la nuit froide, je sentais la vapeur de nos vêtements d'extérieur et de nos chaussettes poilues. Dans la cheminée, très large et construite avec des pierres laborieusement apportées d'un champ voisin, des bûches aussi grosses que des corps de jeunes enfants brûlaient comme au lendemain de quelque incendie préhistorique. Ursula fumait une de ses rares cigarettes, la gnôle était forte. J'entendis les pas de Peter dans l'antichambre, au-dessus de nos têtes, derrière moi, puis il nous rejoignit, jeta la moelleuse couverture nordique par terre entre Ursula et moi et mit à tiédir devant l'âtre quelques récipients de plastique pleins de lotion pour le corps.

« Encore de la gnôle, mon ami ? Sers-toi, je t'en prie. »

Avec douceur Ursula se libéra de la main de Peter, se mit debout entre nous deux et enleva son pantalon de ski en tirant dessus. De la vapeur montait de nos vêtements. La neige s'entassait contre les fenêtres obscurcies, le feu qui s'affaissait jetait sa patine chaude sur la peau des jambes nues d'Ursula entre ses chaussettes de laine et le bord très ajusté de son étroit slip beige transparent.

« Eh bien », dit-elle en jetant sa cigarette à demi

fumée dans les flammes, « tu vois ce que tu as fait
grâce à ton rhum et à ton feu. »

Elle se tourna et remonta les manches de son
chandail. Dans l'ombre, l'entre-jambes bombé de son
slip en lastex semblait avoir été brutalement recouvert un instant plus tôt par la paume mouillée
d'une main inquiète. Et souriante, tapotant son large
estomac sous le chandail, Ursula tomba lentement
à quatre pattes sur les genoux et les coudes, baissa
la tête jusqu'à toucher les poils du buffle et leva
son ample et ferme postérieur pour l'exposer à la
chaleur du feu. Elle contractait et détendait le creux
du dos, haussait sa croupe brillante, étirait les doigts,
souriait et se frottait la figure de long en large sur
la peau de buffle.

— Je ne sais pas ce que tu en penses, mon ami,
dit Peter d'une voix contenue, les yeux fixés sur
Ursula et la tête penchée vers le son des flûtes à
bec, mais je trouve ce tableau extrêmement séduisant.

— Moi aussi, Peter. Mais Ursula devrait être
entourée de bondissants lionceaux dorés, tu ne trouves pas ?

— Tu es toujours facétieux, mon ami. Toujours
très facétieux quand il s'agit de la vie de l'être sexuel.

— C'est exact. Toi, tu as tes malades psychiatriques, moi j'ai Ursula et mon sens de l'humour.

— Mais Allert n'a jamais été possessif, dit Ursula,
comblant notre pause par ses paroles gutturales et
par le spectacle de son derrière décrivant des rotations
qui le rapprochaient de plus en plus de la chaleur,
il faut au moins lui reconnaître ça.

— Dis-moi, demandai-je alors, changeant de sujet
et sentant les doigts vigoureux d'Ursula arracher
des touffes de poils à ma chaussette droite, que pen-

ses-tu professionnellement de notre incapacité de
croire à la réalité de notre moi ?

— C'est une question fréquente. Et aussi un état
de choses fréquent.

— Tôt ou tard, dis-je — conscient des doigts
d'Ursula, voyant dans l'ombre dansante ses yeux
couleur de miel et remarquant le coussin de soie
rouge sur lequel elle posait maintenant le menton —,
tôt ou tard l'enfant découvre qu'il ne peut justifier
sa propre existence. Dès qu'il devient inexplicable,
il devient irréel. Et immédiatement tout ce qui l'entoure le devient aussi comme c'était prévisible. Reste
la perplexité. Ou la terreur.

Tout dans notre situation présente — la maison
froide, la neige tombant invisible dehors, les couvertures, les coussins et le feu, le chœur de flûtes à
bec qui me rappelait, je ne sais pourquoi, le jour où,
dans mon enfance, on m'avait emmené en excursion
à Breda —, tout cela conduisait au vagabondage de
la pensée, à une inclination lente et manifeste vers
la sensualité. Peter remplissait nos verres, la sueur
faisait briller son front, l'odeur animale un peu
putride de la vieille peau d'ours polaire évoquait pour
moi des images de chasseurs sans visage parcourant
la banquise à la recherche de la mort. Ursula avait
lâché ma grosse chaussette et tenait la cheville de
Peter dans sa main serrée. Sa croupe ondulait à présent au rythme le plus faible possible dans la chaleur
grasse du feu.

— Alors Peter, tu n'as pas d'idées sur ce que je
t'ai demandé ? murmurai-je.

— Si tu insistes je puis seulement te dire que
nous sommes l'un et l'autre trop vieux pour une
telle conversation. Beaucoup trop vieux.

— Mais c'est tout à fait vrai, dit Ursula lentement, d'un ton somnolent, Allert n'a pas de réalité.

— Sur les questions religieuses, dit Peter, dont le long visage balafré était sombre et impassible à la lueur du feu, je regrette de ne pouvoir t'être d'aucun secours. Absolument d'aucun secours.

— Mais si je ne suis pas d'accord avec toi, dis-je tranquillement, et si tu as tort et si le problème n'est pas religieux mais bien psychologique, dans ce cas, que dis-tu ?

— S'il te plaît, mon ami. Ce n'est pas ton genre de devenir agressif.

— Allert agressif ! Comme ce serait bien !

— Ursula, murmurai-je alors, peut-être voudrais-tu retirer ton gros chandail. Pour Peter et moi.

— Tu as envie que j'aie la poitrine nue, c'est ça ?

— Oui. Joue avec tes bouts de seins, Ursula. Pour Peter et moi.

— Tu essaies de m'exciter, Allert ! Mais je suis désolée, il va falloir que tu attendes.

— Facétieux, philosophe, impatient, dit Peter. Qu'est-ce qui te prend ce soir, mon ami ?

— Aujourd'hui, en faisant du ski, murmurai-je, fermant les yeux, levant la tête, je me suis senti agréablement sportif. Mais j'ai senti aussi que je n'existais pas.

— Et maintenant, dit Ursula qui serrait le coussin rouge d'une main, ayant fourré l'autre dans la jambe du pantalon en velours côtelé de Peter, maintenant tu bois trop.

— Mais il y a une chose certaine, dit Peter en riant sous le masque de cuir de son visage allongé, c'est qu'Allert tient très bien la gnôle.

— De quelque façon qu'on en boive, chuchotai-je, c'est toujours de l'or pur.

J'entendis s'amonceler la neige, les harmoniques poignantes des flûtes à bec baroques, Peter qui se déplaçait à quatre pattes. J'entendis les oiseaux se grouper pour former leurs vols blancs, Ursula chantonner sous l'influx changeant du bien-être et du mécontentement. Je souris et fermai les yeux. L'ombre en forme de chien d'Ursula était accroupie au-dessus de moi parmi les poutres du plafond. Peter était accroupi devant l'âtre et fumait sa pipe.

— Mais Peter, dit Ursula au moment où j'ouvris les yeux, que fais-tu ?

— Peter, dis-je de ma voix profonde et calme, est-ce son slip au lieu de sa peau que tu enduis de lait de beauté ? Quelle idée singulière. Je n'y aurais pas pensé.

— Mais c'est poisseux, Peter. Cela fait une drôle de sensation !

Ursula se mit à rire, Peter ne dit rien. Elle ne tenta pas de se défendre contre Peter qui, je le voyais clairement à présent, étalait le lait épais à pleines mains sur la surface tendue et arrondie du slip transparent d'Ursula.

Je m'agenouillai maladroitement les mains appuyées au sol, m'assis sur mes talons, portai le verre à demi vide à mes dents. Je devins le témoin consentant du travail de Peter, car Ursula avait posé à nouveau son visage sur le coussin cramoisi, tandis que Peter, dressé sur ses genoux écartés, s'était placé juste devant elle, de sorte qu'en se penchant en avant il pouvait prendre ses fesses dans ses deux mains résolues. Elle avait les yeux fermés, sa tête se trouvait sous la pointe de l'entre-jambes de Peter qui, de son côté, faisait tourbillonner la fumée de sa pipe autour de sa tête tout en pétrissant de ses mains expertes le derrière d'Ursula.

« C'est délicieux, Peter », chuchota Ursula les yeux clos, « c'est une sensation exquise. Comme d'entrer dans son bain en gardant son slip. »

Elle soupira, rit, Peter changea de position, moi aussi, Peter avançait petit à petit de telle façon qu'il finit par chevaucher le creux du large dos d'Ursula.

« Encore », chuchota Ursula, « continue, encore. »

Sur l'âtre un des récipients de plastique gisait renversé, lentement je laissai choir mon verre vide dans l'épaisseur satinée de la peau du buffle d'eau. La gnôle avait fait son œuvre pour la soirée en me rappelant le château blanc de mon village natal, et je sentais maintenant ses effluves me monter au nez, le parfum de fleur du désert répandu par le lait de beauté, l'odeur aromatique de la pipe de Peter, la glace dans les chéneaux de la maison inhabitée. Et je me sentais à présent trop encombrant, trop malade, trop inutile, trop excité, trop tourmenté par l'envie d'aller aux cabinets pour éterniser notre triade vautrée dans le luxe de la couverture, des coussins, des tapis de fourrure, à la lumière fumeuse du feu de Peter.

Le son des flûtes à bec s'évanouit. L'obscurité devint par rapport au froid ce qu'est la lumière par rapport au feu. Vacillant, mal assuré sur mes pieds déchaussés, conscient que le rythme de ma respiration n'était pas réglé sur l'aspiration mais sur l'expiration, je me dirigeai lentement à tâtons le long du couloir glacé, non vers la porte des cabinets comme je le supposais, mais vers l'extérieur et la nuit. Mes pieds en chaussettes laissaient des empreintes profondes dans la neige poudreuse, les flocons se tassaient et tout autour de moi la nuit hivernale était invisible, juste une sensation d'arbres, de température décroissante, de neige tombante. Je m'arrêtai, je sentis la neige sur ma tête, j'aspirai à pleins poumons la nuit d'hiver.

Je me dis que j'étais au milieu d'un rêve dont je n'arrivais pas à me souvenir, quoique j'eusse maintenant la tête claire et que je pusse distinguer sans peine à ma droite la forme de l'auto de Peter bombée par une épaisse couche de neige. Durant un moment je me vis sous l'aspect d'un enfant voyageant par une nuit claire dans la paille au fond d'un petit traîneau bleu tiré par un poney noir et blanc et conduit par un homme en cache-nez avec de gros gants. Pendant un moment encore, là dans la neige poudreuse je réfléchis à ce que je reconnus soudain comme étant ma propre bonhomie. Puis je fis demi-tour et retournai à tâtons dans la maison de Peter, reprenant le corridor glacé pour arriver dans la grande pièce sombre où Peter et Ursula étaient à genoux face à face devant le feu.

Chacun avait déshabillé l'autre et, de la tête aux pieds, lui avait enduit le corps de la crème luisante. Mouillés et brillants, ils étaient agenouillés les genoux écartés, en train de s'embrasser l'un l'autre et de rire. Le slip d'Ursula gisait sur l'âtre comme un mouchoir trempé. Leurs corps remuaient, lustrés et troublants et éclairés par les flammes comme sur l'émulsion d'une photographie encore suspendue mouillée et miroitante dans une chambre noire.

« Allert », dit-elle par-dessus son épaule en tournant la tête vers l'endroit où je me tenais trempé et souriant au-delà de la lueur et de la chaleur du feu, « nous t'attendions. Cesse de t'apitoyer sur toi-même et viens ici te déshabiller. »

*

« Votre tort, à vous autres Hollandais, disait Peter, c'est que pour vous-même le normal est une perversion. »

*

« Toi et moi, nous avons la grande chance, disait Peter, de pouvoir compter sur l'équilibre réconfortant d'Ursula. Elle ne se perd jamais dans le bois sacré comme parfois toi et moi, mon ami. »

*

Sa voix était pressante dans l'obscurité de la nuit derrière la porte de la cabine de la jeune fille. Et c'est au moment où je reconnus la jeune voix masculine inculte, en passant dans le couloir pour aller à la piscine du navire, et où j'entendis ses supplications irritées et son plaidoyer émouvant, que je me rendis compte que les choses n'allaient pas bien pour l'opérateur-radio. Avec une célérité inaccoutumée je poursuivis mon chemin jusqu'à la piscine où je fumai cinq petits cigares hollandais à la lueur des constellations glacées.

*

Mais comment n'avais-je pas été réveillé par le mouillage de nos ancres ? Comment avais-je pu m'abandonner au sommeil pendant que le pire de mes rêves devenait réalité. Après tout, Ariane m'avait averti qu'on atteindrait les rives de l'île au plus noir de la nuit et qu'on y jetterait l'ancre. Et c'est bien ce qui s'était passé, car à présent le soleil montait dans le quart de cercle inférieur de mon hublot comme du sang dans un flacon et, complètement réveillé, je ressassais mes pressentiments. Le navire était à l'ancre.

Je me mis à genoux sur le lit mouillé pour ouvrir le hublot. Je constatai que le soleil inondait l'horizon mais que l'île n'était nulle part en vue. Et agenouillé, la tête dans le hublot et le soleil dans les yeux, je me souvins que, la veille au soir, j'avais refusé l'invitation d'Ariane d'aller à terre sur l'île des nudistes. Et fixant le soleil menaçant et sanglant qui m'éblouissait, je résolus une fois de plus de nous éviter l'ennui et le désagrément de voir des corps qui ne s'étaient dénudés que pour des raisons de santé ou de naturisme.

Et pourtant, avec une hâte inaccoutumée je m'habillai, j'attrapai mon chapeau de paille et je sortis sur le pont à la recherche de ma jeune amie. Le navire était silencieux, les mouettes étaient parties, le pont déjà chaud aurait pu être enrobé de béton. Je frappai avec insistance à la porte de sa cabine, je m'assurai que personne ne se trouvait à la piscine, je compris qu'il se passerait plusieurs heures au moins avant qu'on ne se décide à servir du jus de fruit, du café et des petits pains dans la salle à manger. Les cabines fermées à clef, le pont désert, les couvertures humides entassées sur les chaises longues à la peinture écaillée, le silence... bref, la mort du navire : ce que j'avais toujours redouté.

Je traversai le navire de tribord à bâbord et vis
contre la rambarde une demi-douzaine de passagers
et au-delà, dans un lointain de rêve, l'île basse, brune
et sablonneuse qui attirait tant Ariane. Je me joi-
gnis aux passagers qui, à ce que je compris, n'avaient
pas l'intention de visiter l'île, mais étaient décidés
à regarder les visiteurs et espéraient par surcroît
apercevoir de loin les nudistes. Avec eux je regardai
l'île légèrement embrumée et au-dessous de nous le
canot à moteur blanc amarré au pied de la passerelle
qu'on avait abaissée le long du flanc du navire.

A l'exception d'Ariane et de l'opérateur-radio assis
hanche contre hanche dans la partie avant de la
vedette blanche et à l'exception du jeune marin de
l'équipage debout l'air indolent à la poupe, une
corde à la main, la longue vedette blanche était vide,
n'ayant que trois occupants au lieu de soixante. Je
décidai de devenir le quatrième.

Je descendis la passerelle au moment précis où le
marin de service se préparait à larguer les amarres.
Je m'assis derrière ma jeune amie alors que le moteur
commençait à produire un gargouillement étouffé.
Je levai la tête pour jeter un coup d'œil aux passagers restants, appuyés comme des personnages de
cire contre la rampe sous le soleil ardent. Il n'y eut
pas de signes d'adieu, nous nous éloignâmes du haut
flanc du bâtiment à l'ancre en décrivant un demi-
cercle.

— Allert, dit-elle en souriant et en me tendant
la main, vous avez changé d'avis.

— Oui, dis-je, moi aussi je vais aller voir vos
nudistes.

— Sans vous, ce n'aurait pas été pareil.

— Eh bien, dis-je, acceptant et pressant la main

qu'elle m'offrait, Allert lui aussi peut être un bon vivant, comme dirait ma femme.

Nous prenions de la vitesse, Ariane souriait et renversait la tête en arrière comme pour aspirer à grandes bouffées le soleil brûlant. L'officier-radio et moi n'avions pas échangé de salutations. Il y avait derrière nous le bateau blanc, rapetissant mais stationnaire, et devant nous l'île desséchée grandissant de minute en minute sous nos yeux attentifs.

— Je n'ai pas bien dormi cette nuit, dis-je. J'ai fait des rêves intolérables.

— Pauvre Allert. Vous pourrez dormir sur la plage.

La mer, dénuée de la plus petite vague, passait à présent d'une noirceur opaque à une transparence turquoise. Huit ou dix mètres au-dessous de nous, des bancs de sable reflétaient la lumière du soleil et la renvoyaient par l'entremise silencieuse de la mer limpide. Je fus soulagé de voir, par-dessus mon épaule, qu'il ne sortait pas de fumée des cheminées bleues du navire à l'ancre. Les cheveux d'Ariane volaient au vent, les longs favoris noirs de l'officier-radio contrastaient d'une façon curieusement gênante avec l'inclinaison impertinente de sa casquette blanche à visière noire. Ma jeune amie en blue-jeans et en bain de soleil de soie orange, à travers lequel la forme de ses petits seins était parfaitement visible, servait d'antidote à l'inhabituelle réserve morose de l'officier-radio.

— Votre île a l'air inhabitée, dis-je, tenant le bord de mon chapeau de paille pour que le vent ne l'emporte pas. Pas un seul nudiste ne s'offre à nos regards.

— Allert, dit-elle, ne soyez pas sceptique. Je vous

en prie. Il y a un village de l'autre côté de l'île et la plage nous est cachée pour le moment au fond de la crique qui la protège. Le village est relié à la plage par un chemin de terre parfait pour faire de la bicyclette. N'oubliez pas, Allert, que je suis déjà venue ici.

Je touchai son bras frais et de nouveau je vis par-dessus mon épaule que notre navire blanc rapetissant demeurait immobile. Je n'aimais pas l'allure de l'officier-radio, un pied sur le plat-bord et sa vareuse grande ouverte laissant voir son maillot de corps douteux, sa croix suspendue à une chaîne. Je n'aimais pas non plus ses favoris, son teint malsain, l'angle de sa casquette blanche, la main qu'il avait cachée dans la poche de sa vareuse blanche.

« Ma femme m'a convaincu, contre mon gré, de faire cette croisière », dis-je en souriant aux yeux noirs de la jeune fille, « et je ne le regrette pas. Maintenant vous m'avez persuadé, également contre mon gré, de prendre la mer sur un simple canot à moteur. Et quoique les canots à moteur m'inspirent encore moins confiance que les gros navires, je ne le regretterai peut-être pas. Mais je ne suis pas sceptique, Ariane. Je ne suis jamais sceptique. Je sais que vous nous conduirez droit à la plage des nudistes et que vous nous ramènerez ensuite sains et saufs au navire qui nous attend. »

Mais, alors même que ma voix pesamment accentuée résonnait dans l'air, faisant rire Ariane et froncer les sourcils à l'opérateur-radio derrière sa main malpropre, notre vedette contourna lentement une pointe de sable épais et s'engagea tout droit dans une petite crique qui donnait manifestement accès à la plage cachée décrite par Ariane. La bande de sable parfaitement blanc, l'eau du bleu le plus pâle, la rangée de cabines battues par les vents qui ressemblaient à des cercueils debout — tout était exactement semblable à ce que les mots de ma jeune amie m'avaient fait imaginer. Le ciel était un infini de phosphore en combustion, le sable aussi doux que de la poudre de riz, à coup sûr les cabines vides sentiraient l'urine. La vue de la crique m'était familière et pourtant inconnue, les cabines penchées m'attiraient et pourtant me rebutaient.

« Dépêchez-vous », cria Ariane dès que notre proue eut touché le sable et qu'avec une hâte puérile elle eut sauté à terre, « il ne faut vraiment pas perdre une minute de notre séjour en un lieu si joyeux ! »

Ce fut l'opérateur-radio, vareuse ouverte et casquette insolente, qui sauta ensuite sur le sable sec où, inévitablement, il se retourna et me fit face. Ses favoris gras avaient l'air collés le long de son os maxillaire. Il ne souriait pas.

« Qu'avez-vous fait de ma photo ? » dit-il, les pieds largement écartés, les mains dans les poches de sa vareuse et son couvre-chef repoussé en arrière d'une manière négligemment agressive. De toute évidence, il était de ces jeunes officiers capables de se soûler avec des matelots, d'abandonner un navire en détresse, de commettre d'étranges actes de violence de psychopathe.

— Je ne sais de quoi vous parlez, dis-je. Mais je n'aime pas le ton de votre voix.

— Après tout, vous n'êtes pas le seul à qui le stimulant d'une photo illicite soit nécessaire.

— Je me refuse à vous écouter !

— Rendez-la-moi ce soir, dit-il.

Il enfonça les mains encore plus profondément

dans les poches de sa vareuse et s'en alla en zig-
zaguant dans le sable comme le survivant affolé
d'un naufrage.

« Hé, Allert », cria des cabines ma jeune amie qui
ne soupçonnait rien, « dépêchez-vous donc ! »

J'essuyai de ma manche mon visage en sueur et
je commençai à marcher lentement le long de la
plage vers la rangée d'étroits édicules en bois plus
ou moins de guingois où il me fallait, comme mes
compagnons, me dépouiller de tous mes vêtements.
Mais la nudité physique est une chose, pensai-je, et
la nudité psychologique en est une tout autre, surtout lorsqu'un homme aussi implacable et tortueux
que ce garçon dont dépend le sort de tout le navire
est en train de réduire votre personnalité à la nudité
psychologique. Je devais rester maître de moi pour
résister aux coups de griffe brutaux de ses mains
répugnantes.

« Mais non, Allert, non ! » s'écria-t-elle quand je
sortis de la cabine, « vous ne pouvez pas garder votre
chapeau de paille sur la plage des nudistes ! »

Elle riait, complètement nue, debout sur le sable
chaud. L'opérateur-radio se mit à rire aussi, bien
que son attention se fixât soudain, malgré lui, sur la
douce nudité d'Ariane.

— Quoi, dis-je, pas même un vieux chapeau de
paille ?

— Rien, Allert, rien. Pas même un chapeau.

— Très bien. Mais une insolation est une chose
grave, Ariane.

— Il faut me faire confiance, Allert. Vous me
l'aviez promis.

Le soleil était le plus intensément éclatant que

j'eusse jamais vu, le genre de soleil qui cuirait vives de jeunes tortues si bien enterrées soient-elles sous le sable dans leurs épaisses carapaces. Dans ce rayonnement partout épandu le corps nu d'Ariane avait la taille et le poids de celui d'une enfant et n'était pourtant pas enfantin. Elle était potelée mais cependant mince, onduleuse mais cependant ferme, et sous la réverbération du soleil qui en les décomposant blanchissait toutes les couleurs, donnant au paysage de l'île une brillante irréalité, Ariane était voilée, caressée, protégée par son propre rayonnement de lumière mauve. Au milieu de l'effrayant tableau blanc que nous formions, elle seule était désirable et vraie. Elle avait laissé tomber ses cheveux noirs sur son dos nu, ses yeux étaient grands, ses mollets menus bien galbés, il y avait une curieuse dignité dans la rondeur du petit ventre nu exposé sans gêne au regard attentif de l'opérateur-radio et au mien. La petite cicatrice familière était crochée au bas de son ventre comme une agrafe brillante, les modestes petits seins et le sexe me firent penser à ces fillettes flamandes engoncées dans leurs vêtements, sauvées de l'oubli dans quelque sombre tableau.

Quoique l'opérateur-radio fût maigre et musclé, tandis que j'étais corpulent et mal bâti, l'horreur chimique du soleil éblouissant nous réduisait également à la blancheur mate de la plage, révélait tout à fait également nos imperfections, nos poils noirs frisant sur une peau blanche, nos parties génitales qui sous cette lumière semblaient façonnées dans du beurre froid. Je ne fus pas content de me trouver aussi peu attrayant que l'opérateur-radio.

— Ariane, dis-je à l'instant où, du sentier entre les dunes, nous débouchions tous les trois sur la

plage, j'espère que vous ne trouverez pas ma lourdeur absolument déplaisante.

— Allert, dit-elle — et sa gorge était fine et tendue comme celle d'une enfant —, vous êtes un bel
homme.

— Mais, dis-je, élevant la voix et lui donnant
l'intonation désarmante d'un Hollandais bienveillant,
si un homme n'est pas habitué au nudisme, s'il n'est
pas habitué à être sans vêtements parmi des personnes du sexe opposé, ne pourrait-il dans une pareille
situation donner soudain toutes les marques embar-
rassantes du désir ? Et alors ce manque d'empire sur
soi ne serait-il pas gênant ?

Le sable était chaud, j'avais l'impression d'avoir
les yeux cousus par des sutures invisibles, devant
nous la plage formait un croissant étincelant. Derrière nous l'opérateur s'abritait avec la sacoche violette d'Ariane et poussait des grognements en signe
de malaise et de désapprobation.

— Allert, dit-elle — interrompant notre marche
sur le sable pour me toucher la hanche et observer
ouvertement mon visage mouillé —, ce que vous
décrivez est tout à fait possible. Mais c'est également
bien naturel. Pour ma part, cela ne me paraîtrait
pas du tout gênant. A vrai dire, poursuivit-elle plus
lentement et doucement, si une telle chose se produisait en ma présence, je serais flattée. Je serais extrêmement contente.

— Merci, dis-je, observant d'un coup d'œil par-
dessus mon épaule les yeux douloureux de l'autre,
son corps plié en deux à partir de la taille... La
compassion avec laquelle vous considérez cette situation est tout à fait admirable. Mais à votre place,
en présence d'un homme qui ne pourrait se dominer,

je serais beaucoup moins charitable. A vrai dire, envers un tel homme, je ne me montrerais pas du tout charitable.

— Mais, Allert, dit-elle, souriant et appuyant les doigts sur mon bras mouillé, vous avez bon cœur. Je le sais.

Je voyais le bleu de ses yeux se détacher sur la blancheur du sable, la blancheur du soleil. Et, en dépit du feu qui me caressait déjà le haut des épaules, je subis avec plaisir un moment encore le franc examen des doux yeux d'Ariane, qui, en croisant les miens, devinrent plus bleus, plus humides en raison de ce qu'ils avaient vu.

— Tout homme est une île, dis-je. Je suis comme les autres.

— Mais, Allert, chuchota-t-elle, vous êtes quelqu'un de très particulier. On ne parle que de vous à bord.

Mais avant que j'aie eu le temps de me récrier et de protester contre la fausseté manifeste de cette curieuse remarque, Ariane se dressa, couvrit ma bouche de sa main fraîche et menue, puis m'enlaça, jetant ses bras autour des plis adipeux de ma taille nue et posant la tête sur ma poitrine. Alors, elle se retourna et avec une rapidité inattendue alla jusqu'à la mer où, les pieds dans l'eau claire et ondulante, elle se mit à marcher d'un pas vif le long du croissant blanc de la plage, suivie, elle le savait fort bien, par ses deux compagnons nus dont l'un était déjà affreusement rouge.

« Vous devriez vous regarder », dit une voix derrière mon dos, « si vous pouviez vous voir, vous nous laisseriez tranquilles, Ariane et moi. Un homme comme vous ne devrait pas se promener déshabillé.

Elle ne veut pas vous faire de peine, voilà tout.
N'avez-vous pas compris ? »

Au lieu de répondre, je concentrai toute mon
attention sur la sensation de l'eau pâle contre ma peau
et sur la vue de la jeune femme dont l'épaisse chevelure noire tombait jusqu'au creux du dos et qui,
à présent, debout sous les feuilles d'un arbre tropical,
nous faisait des signes de la main. L'île, ou ce que
j'en voyais, était déserte, hormis l'ardente jeune fille
sous l'arbre et au loin un groupe de silhouettes dorées
qui, à en juger par la diversité de leurs tailles, devait
être une de ces familles stables respectant les personnes âgées, chérissant les jeunes et se dépouillant
de leurs vêtements pour des raisons morales. Malgré
la distance je remarquai la courbe d'une barbe patriar-
cale, le mouvement d'un corps de chérubin. Je détournai le regard, je constatai à nouveau que le sable
était comme de la cendre blanche. Mais c'est l'opérateur-radio nu, pas moi, qui virait au rouge.

« Venez, cria Ariane, il fait délicieux à l'ombre. »

Même là, à l'ombre de l'arbre solitaire, seule de
nous trois Ariane avait l'air vraie. Seule sa peau
conservait sa couleur normale, seule sa chevelure
noire restait vivante dans la brise. Aux côtés d'Ariane
assise droite, souriante, le dos appuyé à l'arbre, nous
n'étions que blanchâtres, l'opérateur-radio et moi, rien
que blanchâtres, à part le coup de soleil flamboyant
qui se répandait comme une solution empoisonnée sur
les épaules, la poitrine et les bras inertes du jeune
officier. Son visage terne était inondé de sueur, sa
tête pendante.

Je tendis la main vers une des pêches qu'Ariane
avait extraites de sa sacoche. Le jus de la pêche me
mouillait les mains, sa saveur tiède et sucrée dégouli-

nait sur mon menton. Au loin un vieil homme doré
lançait en l'air un enfant doré. Et je notai, d'un coup
d'œil détaché, que l'opérateur-radio s'affaissait, se
déshydratait de plus en plus vite, se consumait. Si
Ariane se rendait compte de la gravité de son état,
elle n'en donnait aucun signe.

« Allert », dit-elle en mordant dans le fruit jaune
et mouillé et en touchant inconsciemment le bout de
son sein gauche comme pour susciter une sensation
nouvelle ou pour s'assurer de sa dimension, « comme
c'est beau, cette famille nue ! Ils n'éprouvent aucune
honte. »

Je léchai mes doigts, j'acquiesçai d'un signe de
tête. Ses yeux brillaient, son aisselle luisait de trans-
piration, de l'autre côté d'elle l'opérateur-radio me
contemplait muet de ses yeux blancs morts. Certaines
portions de son corps nu affaissé prenaient le ton
d'une prune funeste.

Soudain j'entendis une petite voix lointaine crier
« Papa, papa ! » et en même temps je perçus un
unique et lointain éclat du rire de la mère. A ce
moment nous nous levâmes, Ariane et moi, parfaitement à l'unisson et, nous tenant par la main, allâmes
lentement jusqu'au bord de l'eau. Je savais que derrière nous l'opérateur-radio était réduit à l'impuissance, que ses lèvres se craquelaient et que ses épaules
se couvraient d'ampoules.

La lumière avait la couleur d'une perle implacable, le sable était une nappe de flammes blanches,
ensemble nous nous roulâmes dans l'eau claire peu
profonde.

« Allert », dit-elle, étirant sous l'eau son petit
corps plat ; et, levant la figure, elle étendit les bras
et saisit mes deux épaisses chevilles : « Tu es un si

bon amant, Allert. Peut-être parce que ta bouche est si grande et me dit tant de choses gentilles. »

Nous nous levâmes, nous nous éloignâmes du bord de cette île aussi sèche et livide qu'un aperçu du paradis fixé par une photo malveillante, nous marchâmes vers le large jusqu'à ce que l'eau placide atteignît ma taille et les petits seins luisants d'Ariane qui me faisait face. L'air était blanc, la mer pâle, tout autour de nous l'air avait maintenant une odeur de cendre morte invisible.

« Il ne faut pas que le navire parte sans nous », dis-je à voix basse.

C'est plus tard, après être passés à l'action comme, me sembla-t-il, deux créatures dépouillées de leur coquille surgies ensemble du fond blanc et sablonneux de la mer, et après nous être immergés entièrement dans les eaux apaisantes et avoir quitté l'île des nudistes pour regagner le navire, que nous avons reconnu l'état dans lequel se trouvait l'opérateur-radio. Nous l'avons conduit avec précaution dans la cabine d'Ariane, entièrement déshabillé, et nous avons découvert que des taches en forme de feuilles tropicales se dessinaient clairement sur toute la surface de son corps brûlé. Ainsi il devint l'occupant malade de l'étroit lit d'Ariane et Ariane son infirmière empressée et repentante. Pendant des jours entiers, l'opérateur-radio emplit sa cabine de l'odeur de ses frissons et de sa fièvre. Pendant des jours entiers la senteur d'un onguent puissant emplit cette cabine où il n'y avait pas de place pour moi.

*

Le sommeil de la raison engendre des démons,

comme le dit une fois Ursula. Mais j'aime mes
démons.

*

Ursula et Peter étaient nus. Ursula et Peter étaient
tête-bêche, elle à genoux, tête basse sur le tapis
orange, lui chevauchant sa taille mince et pourtant
légèrement vieillie, en train de jouer sur ses fesses,
tapant et frappant ses fesses comme un maigre Africain battant du tambour. Ursula et Peter riaient
tous deux aux éclats. Je me mis à rire aussi.

*

Les lumières tombaient sur l'eau noire comme
d'un bateau qui coule. J'étais penché en avant, regardant en bas se désintégrer et sombrer les lumières
qui couraient tout le long du bateau. J'entendis
le bruit d'un éclaboussement.

*

« Peter », dis-je, hasardant une idée à laquelle je
songeais depuis longtemps, « comment se fait-il que
tu ne te sois jamais marié ? Même aujourd'hui les
sirènes doivent t'appeler en chœur partout où tu vas.
N'est-ce pas ? »

Il retira la pipe d'entre ses dents, il tenait avec
trois doigts le petit fourneau d'écume blanche. Il
me regarda, puis tourna la tête vers Ursula et leva
les sourcils, orienta le tuyau de la pipe vers elle,
écarta les lèvres. Puis il se tourna à nouveau vers moi.

— Mais le problème, dit-il doucement, est de

savoir pourquoi toi tu t'es marié. Toi tout particulièrement.

— Je m'excuse, Peter. Ce n'était qu'une question.

Il regarda de nouveau Ursula et remit subitement
entre ses dents l'embout du tuyau d'ambre de la
pipe. La fumée de la pipe de Peter donnait à la pièce
le parfum d'une roseraie en décomposition.

*

« Il existe quelque part un homme désireux de
me divertir, Allert, pour le reste de ses jours. Je ne
demande qu'à être divertie. Et quand j'aurai trouvé
mon homme divertissant, je le suivrai jusqu'au bout
de la terre. Mais jamais nous ne nous marierons.
Jamais. »

*

Dans mon rêve je suis debout à une fenêtre du
second étage, par un jour de chaleur. Il n'y a personne en vue, les arbres sont immobiles, je suis tourmenté par le fait que dans tous les arbres environ-
nants et leur feuillage touffu il n'y a pas un seul
oiseau. Mais seul devant la fenêtre, je jouis de l'atmosphère créée par le tendre soleil de midi, la pente
d'une poutre brune extérieure et un pan de toiture
en tuiles poudreuses qui fait saillie dans mon champ
de vision sur un bâtiment — remise ou grange.
Quoique déserte, immobile, désolée même, c'est une
scène paisible. Pendant quelque temps encore je
résiste à la tentation d'abaisser le regard et je m'ap-
plique à contempler les autres parties de la cour
lumineuse où je ne décèle nulle vie. Apparemment

cette cour est celle d'une ferme réelle et complète
sauf qu'y manquent totalement bêtes et êtres humains.
Devant moi s'élève un pan de mur couleur mou-
tarde, les arbres sont verts, il y a des particules
de poussière dans l'air ensoleillé. Derrière moi la
pièce vide où je me tiens est pleine d'ombres. Je
porte une chaîne de montre en or en travers de mon
gilet, je suis entièrement exposé à la vue de quiconque pénétrerait soudain dans la cour pavée au-
dessous de moi ou qui m'observerait déjà d'une embrasure de porte dissimulée ou d'un recoin du mur jaune.

Puis j'abaisse le regard. Je m'incline de manière
à appuyer mes mains ouvertes sur le large rebord
de la fenêtre et, me penchant à mi-corps hors de
la fenêtre, je regarde la scène destinée à n'être vue
que par moi. Je me rends parfaitement compte que
je regarde quelque chose que je ne dois jamais
oublier, aussi mon examen, bien que dénué d'émotion, est-il néanmoins lent et intense. Je me rends
compte également que je n'émets aucun son bien
que je remue momentanément les lèvres comme pour
parler, et que je suis à l'aise mais tout à fait incapable de sentir si peu que ce soit que je respire.

Ce qu'il y a juste sous ma fenêtre c'est une grande
charrette de bois en forme de boîte, juchée sur
deux hautes roues à rayons de bois cerclées de fer et
pourvue, à la place des brancards habituels pour un
cheval ou un âne, d'une traverse de bois manifestement destinée à un homme. Le vieux véhicule cabossé
à hautes parois se présente horizontalement sous ma
fenêtre. J'examine le bois gris, les gros moyeux de
bois des roues, un fétu de paille sèche pris dans une
fente. Et ce que je vois, ce qui me remplit l'esprit,
c'est le cercueil de tôle extrêmement étroit aux arêtes

vives que contient la charrette, un cercueil anguleux
et sans ornements à part une unique et longue guir-
lande de fleurs blanches à demi fanées — des œillets
peut-être, ou des roses — tendue comme une corde
de la tête du cercueil de fer jusqu'à son extrémité.
Le bois qui absorbe la lumière, le métal grossier et
brillant qui la reflète, le cordon de fleurs blanches
défraîchies, presque mortes, qui divise le couvercle
du cercueil du haut en bas au lieu de reposer comme
de coutume en un gros bouquet généreux au-dessus
de la poitrine du mort caché à l'intérieur — tous
ces détails me font comprendre que le cercueil devra
tôt ou tard être emporté et que la mort est la véritable pauvreté.

Mais il y a quelque chose d'encore plus insolite
dans le spectacle sous ma fenêtre. Je sens mon front
se contracter en une ride unique et je vois alors
que le pauvre cercueil de tôle n'est pas posé sur le
fond de la charrette mais flotte dans environ un pied
d'eau sombre. Oui, je vois à présent que la charrette est partiellement remplie d'eau dans laquelle
le cercueil se balance doucement. Et alors je comprends. Je regarde fixement l'étincelant cercueil de
tôle et l'eau qui stagne et j'écoute mon propre souffle
et je comprends pourquoi il y a de l'eau dans la
vieille charrette de bois : à l'origine le cercueil était
entouré de glace, d'une grande quantité de glace qui
a fondu.

Suis-je celui qui devra tirer la lente charrette hors
de la cour et, l'estomac calé contre la traverse, au
son du cercueil cognant comme une barque contre
les planches derrière mon dos, traîner cet inexplicable
assemblage chargé de douleur jusqu'au lieu de repos
qui doit l'attendre ?

Je ne sais pas. Je suis à la fenêtre. J'entends bourdonner une mouche solitaire.

Quand j'ai eu fini de relater ce rêve à Ursula, qui avait écouté avec plus de lassitude que d'habitude, elle a fait deux observations d'un ton parfaitement neutre tout en se levant pour quitter la pièce. Elle a dit que manifestement le cercueil contenait le corps non d'un homme, mais d'une femme, et que c'était le rêve révélateur d'un fils unique.

Je demeurai assis, seul, durant une heure, deux heures, à entendre la mouche et à réfléchir à ce qu'avait dit Ursula.

*

J'étais debout dans la pénombre de notre antichambre au revêtement blanc et lisse, alerte et pourtant immobilisé sur le chemin du salon au cabinet de travail ou du cabinet de travail à la salle de séjour où, quelques minutes plus tôt, j'avais allumé du feu dans la cheminée. Et en cet instant étale, saisi sur un des parcours dérisoires de la vie domestique dans la lumière d'une fin d'après-midi, tout à coup je compris parfaitement dans quelle atmosphère j'étais suspendu d'une façon si déchirante. Que pouvait-ce être sinon l'espace d'une catastrophe personnelle ? Le silence se concentrait en une voix secrète. Dans la maison la lumière, douce et claire, avait la résonance amortie de la neige gelée dehors.

Ainsi, me dis-je, notre séparation n'était plus menaçante mais me fondait dessus, m'avait peut-être déjà dépassé, comme une route qui change de direction, puis soudain revient en arrière. Oui, notre séparation était à présent un fait. Tout était dans le silence et la lumière amortie. Et exactement comme je m'y étais attendu, je ne ressentais rien, je ne prévoyais aucune douleur prochaine, je n'avais conscience que de la perception de l'événement et non de cet événement même. J'avais conscience du silence, conscience de la lumière sans éclat.

Il était possible qu'elle fût partie sans adieux. Peut-être avait-elle décidé de m'épargner une ultime remontrance, un ultime sourire. Peut-être ne voulait-elle pas que je la regarde nouer la ceinture de son manteau de fourrure et enfiler ses gants de conductrice. Peut-être, m'étant laissé sombrer dans les plis de mon journal pour m'évader, pour rêver de l'oie qui autrefois avait sauvagement pincé mon mollet nu d'enfant, avais-je sommeillé pendant qu'Ursula disparaissait de la longue existence de notre mariage. Ou peut-être prenait-elle place à l'instant même sur le siège avant de sa voiture, seule ou au côté d'un nouveau compagnon, et se préparait-elle à l'instant même à conduire à leur terme toutes mes spéculations, toute la texture de cette journée finissante, grâce au bruit clairement reconnaissable d'un moteur d'auto.

Je me retournai, je vis la pipe en écume de Peter dans le cendrier où Ursula avait décidé de la laisser. En passant je la crus couverte d'une peau de poussière, comme si elle était dans la maison vide de Peter et non dans la nôtre, et à ce moment, traversant l'antichambre pour aller à la cuisine, je me souvins de la pensée qui m'était venue lors de sa mort : que le chagrin n'est qu'une autre forme de dérèglement et que mon enfance innocente en avait été pleine.

Je vis les deux cuisinières froides, j'entendis mes pas sur le carrelage, je vis la neige par la fenêtre de la cuisine, les couteaux étincelants à leur place dans le porte-couteaux. Avec précaution, les sourcils levés, la main ferme, je versai la gnôle dans le petit verre et le soulevai pour le regarder à la lumière. Je sentais mon visage impassible, je savais que mes gestes étaient délibérés. Je versai la gnôle, puis l'avalai. J'appuyai ma joue contre les carreaux blancs dont chacun portait l'image abstraite, bleu vernissé, d'un ancien vaisseau nordique sur une mer qu'aurait pu dessiner un enfant. Je bus et j'attendis de voir et peut-être d'entendre l'auto d'Ursula. Mais rien ne se passa. Les carreaux tiédissaient sous ma joue.

Je posai mon verre. Je vis le verre perdu au milieu d'une vaste étendue d'épais carreaux blancs, je vis que la lumière faisait apparaître l'invisible pellicule d'alcool qui le tapissait encore à l'intérieur et avait une si merveilleuse odeur de pétrole jaune.

Je me retournai, j'attendis. Puis avec précaution je levai les doigts vers le lourd masque de chair qu'était mon visage. Alors, je baissai les mains, tremblai, décelai les premières indications lointaines d'un son qui, l'instant d'après, se caractérisa comme étant celui de l'eau qui circulait, coulait, croissait de volume quelque part à l'étage au-dessus. J'exhalai un soupir. Essuyai mes lunettes. Je remplis à nouveau le verre de gnôle. Car à présent je savais que le bruit entendu était celui d'Ursula en train de prendre une douche, et j'entendais distinctement les torrents assourdis d'eau fumante qui déjà rosissaient sa peau mouillée et remplissaient la cabine de douche de nuages de vapeur riches du parfum du savon au lilas d'Ursula. Je goûtai la gnôle. Dans mes doigts le petit

verre était mouillé. Maintenant je savais exactement
ce qui m'attendait quelque part plus loin sur le calen-
drier froid.

*

« Je me soucie très peu de ta « victime », Allert.
Elle était beaucoup trop jeune pour m'intéresser
sérieusement. Mais ce que tu as fait ne m'est pas
indifférent. Et si on t'a acquitté injustement et uniquement parce que ta femme se trouvait à tes côtés
et qu'elle est belle, je ne peux te dire qu'une chose,
c'est que ton prochain procès sera différent. Très différent. » Avant qu'elle n'eût achevé la dernière phrase
j'avais franchi la porte et je montais l'escalier à tâtons
dans le noir.

*

— Va la rejoindre, Peter, dis-je dans le sombre
silence où nous nous engourdissions tous deux... va
la rejoindre, va remplir de joie une vieille amie.
— Voilà encore une plaisanterie douteuse, dit-il
en se levant comme un spectre familier et bienveillant dans la lueur du feu, mais une bonne idée.
« Ja, Ja, Ja », me dis-je en l'entendant marcher
d'un pas hésitant vers l'escalier.

*

— Allert, dit-elle en haussant son tendre visage
pour le presser contre le mien, te rends-tu compte
de ce que tu fais ? Probablement pas. Mais tu es en
train de détruire le romanesque de mon aventure

avec Peter. Comment oses-tu détruire la douceur et le secret de mon aventure avec Peter ? Comment peux-tu avoir la bassesse de lire mon courrier ?

— Je ne mérite pas une pareille condamnation. Ce n'était qu'une lettre d'amour. Et l'enveloppe était déjà ouverte.

— Et maintenant les jolies phrases de Peter sur l'amour et l'amitié sont logées dans ta tête comme dans la mienne.

— Je ne les oublierai que trop vite, Ursula. Beaucoup trop vite.

Mais elle ne se calma pas, et la neige pure continua de s'entasser sur l'auto de Peter.

*

« Allert, disait Peter, as-tu jamais songé que tu avais peut-être été jadis un des malades des Champs Sauvages ? Avant mon temps, avant que nous ne devenions amis ? Peut-être dans ta lointaine et folle jeunesse as-tu été jadis interné aux Champs Sauvages ? Qu'en penses-tu, mon ami, dois-je compulser les registres ? »

Je répliquai que j'avais de la peine à me souvenir de ma jeunesse. J'étais tout à fait capable de me rappeler certains épisodes de mon enfance, mais de mon adolescence il ne semblait presque rien subsister. Mais, dis-je à Peter, cela valait mieux, et je le priai de ne faire aucune recherche dans les livres pour découvrir ce qui pourrait bien se révéler comme les traces de ma violence oubliée. Néanmoins, à notre rencontre suivante, Peter affirma qu'en dépit de mon interdiction il avait mis son projet à exécution et essayé de trouver des renseignements sur mon imprévisible jeunesse. Mais, dit-il, si j'avais jamais été un des malades des Champs Sauvages, les documents sur la question avaient été détruits — opportunément détruits.

« Mais Peter, dis-je en riant, les Champs Sauvages ne sont pas le seul établissement psychiatrique de notre petit pays. »

En guise de réponse, se fiant à ses seules mains gantées sur le volant, il détourna le regard de la route enneigée pour le plonger pendant un long moment, chaleureux, dans mes yeux clairs et naïfs, et il sourit de son sourire entendu.

« Pourquoi n'attrapes-tu pas quelque chose à la radio ? demanda-t-il. De la bonne musique de danse, par exemple. »

Peter était manifestement déçu que sa recherche eût été vaine.

*

La route qui gravissait la colline et conduisait au zoo était bordée à tous les virages de bougainvillées, de figuiers de Barbarie, de petits reposoirs religieux rouges ou bleus, de palmiers qui projetaient leurs ombres élastiques sur le cheval, le cocher, la voiture et nous trois, passagers silencieux, serrés l'un contre l'autre sur le siège arrière de la voiture noire. Je respirais l'odeur réconfortante et engourdissante du vieux cheval, je sentais la pression de la mince cuisse humide d'Ariane contre la mienne. J'étais conscient du bruit des sabots du cheval et des roues qui tournaient, de la vie érotique des végétaux qui agrémentaient notre montée et des tuiles blanches et des cloches d'argent de la petite ville innocente à nos pieds. Mais surtout je voyais le bateau blanc ancré là, en bas, imposant comme quelque monstruosité nautique au milieu d'une baie qui semblait peinte. La longue ligne de la coque, l'inclinaison des cheminées, les ponts déserts, la tache de blancheur éblouissante, ici et là le scintillement de quelque minuscule élément mécanique — c'était une vision déconcertante et invraisemblable qui expliquait le trouble de l'apathique voyageur en costume de toile blanche. Je n'arrivais pas à décider ce qui était le moins réel, le navire ou le cheval poussif. Et pourtant, à chaque tour des roues cerclées de fer et à chaque lente secousse de la voiture, mon unique désir était de retourner à la désolation du navire. Aussi étais-je penché en avant, regardant vers l'est, m'abritant les yeux, faisant de mon mieux pour garder en vue le bateau.

Nous passâmes derrière une haute bordure de buis. La baie était cachée par un mur de cyprès dont chacun était étouffé par d'épais rosiers grimpants. Les ombres de feuilles de palmier me passaient devant le visage comme des toiles d'araignée. Nous émergeâmes de notre morosité passagère, la voiture à l'allure de corbillard penchait dans la montée. Le navire était toujours là.

« Donnez-moi un mouchoir ou quelque chose, dit l'opérateur-radio. J'ai renversé du vin. »

Je l'observai, il tenait au bout de son bras tendu la bouteille ouverte tandis qu'Ariane frottait et épongeait la longue tache rouge mouillée qui s'étalait du haut en bas de sa vareuse. Un de ses boutons dorés formait une île dans la tache éclatante. Lentement il replaça le goulot de la bouteille entre ses lèvres minces.

En l'honneur de cette journée d'excursion Ariane portait une blouse de soie violette bizarrement froncée, glissée dans son habituel pantalon de cotonnade bleue. Elle portait aussi une paire de lunettes de soleil bon marché, à verres noirs et à grosse monture blanche, qui masquait le haut de son visage et de son crâne menus et lui cachait les yeux. Entre les volants de la blouse largement ouverte le haut de ses seins nus était plus visible que d'habitude, et à ce moment, alors qu'elle remettait son sac de paille entre ses pieds et posait sa main sur mon genou, je remarquai de nouveau le grain serré de sa peau et le petit champ de taches de rousseur qui lui couvrait puérilement les seins.

— Allert, murmura-t-elle, dominant le bruit des sabots hirsutes, bien silencieux, Allert !

— Oui, aujourd'hui je suis silencieux.

— Vous êtes fâché. Mais pourquoi cette fâcherie, Allert ?

— Je n'aime pas le tourisme. Je n'aime pas les animaux en captivité. Aujourd'hui je suis un compagnon réticent.

— Mais c'est un zoo célèbre, magnifique, plein des bêtes les plus douces et les plus jolies de toute la terre. N'emmenez-vous pas vos enfants au zoo ?

— Nous n'avons pas d'enfants, Ariane. C'est une des choses qui me plaisent dans cette croisière, l'absence d'enfants.

— Quelle triste pensée, Allert. Très triste.

— Si c'était moi le patron, dit tout à coup l'opérateur-radio passant la bouteille à Ariane, je bourrerais la croisière d'enfants. Moi, je raffole des mômes.

— Moi aussi, dit à voix basse Ariane, apparemment décidée à ne pas remarquer le manque de sincérité manifeste du jeune homme qui s'était arrangé pour passer le bras autour de ses minces épaules soyeuses et moites.

— Vous pourrez peut-être tous deux contempler quelques enfants d'animaux pendant que je mange une glace.

— Allert, dit alors Ariane, soyez gentil.

J'acceptai donc la bouteille qui m'était tendue, j'éloignai mon épaule de la main indiscrète du jeune officier qui, je ne le savais que trop, pressait avec insistance le haut du bras d'Ariane. Vêtu de blanc, il était affalé comme d'habitude sur le siège de la voiture, un pied appuyé haut et sa main libre traînant sur le garde-boue de tôle noire brillante. Ariane était assise raide entre nous, les yeux baissés et évitant avec affectation que son frêle dos mouillé ne se trouve en contact avec la déplaisante rugosité du vieux siège de cuir. Oui, elle était assise entre nous silencieuse dans une pose affectée, mais succombait néanmoins seconde par seconde à la main séductrice de l'opérateur-radio qui la pressait. Je me déplaçai encore, je sentis l'odeur de poussière et de cuir de la voiture de location et la senteur lourde du vieux cheval malpropre.

Le navire apparut de nouveau, encadré soudain dans une masse de mimosa généreux. L'opérateur-radio se mit à tapoter en mesure sur la tôle du garde-boue. Son vin montait en moi comme un nuage rouge.

Et alors nous sommes arrivés, nous sommes parvenus au sommet de la colline et avons franchi avec un bruit de ferraille les grilles à la peinture passée du célèbre zoo. Nous nous sommes arrêtés à l'ombre

vaste et tachetée d'une armée de pins-parasols malades, et à présent même les mondes mal connus de
l'impersonnel navire et de la petite ville anonyme
avaient disparu. Nous sommes descendus de la voiture et nous avons dit au vieux cocher de nous
attendre. Ariane, retrouvant un peu de son allégresse
antérieure, fila dans son pantalon collant de toile
bleue et sa blouse d'un violet intense vers les cages
les plus proches. Il n'y avait personne d'autre en
vue. Il n'y avait pas un seul enfant dans tout ce
zoo, rien que les sentiers sinueux, l'ombre épaisse,
la poussière, l'odeur de déchets animaux, les cages
qui avaient toujours l'air vides jusqu'à ce qu'il en
émerge, après un moment ou deux d'examen patient,
quelque petit visage pressé contre le grillage ou
quelque petit corps étrange sortant d'un tas de paille
mouillée sur des pieds aussi fins que des joyaux. Et
là-haut, au-dessus de nous, toujours le toit de pins-
parasols malades.

Ariane avait repris tout son entrain. Elle ne pouvait aller aussi vite qu'elle l'aurait voulu d'une cage
à l'autre. Elle riait, soupirait, poussait des cris à la
vue de la courbe que dessinait une paire de cornes
poussiéreuses poignantes de petitesse, pressait contre
les barreaux ses seins menus, serrés, parsemés de
taches de rousseur. A chaque cage je me penchais
pour lire à haute voix l'inscription en latin concer-
nant la petite bête galeuse et difforme qui y était
enfermée.

« Eh bien », dit à mi-voix l'opérateur-radio alors
que nous suivions d'un pas traînant notre Ariane
enchantée le long d'un sentier d'argile fendillée sous
les pins, « eh bien voilà exactement le lieu qui
convient au vieux colonialiste que vous êtes. Nous

devrions vous enfermer dans la cage de cet oiseau-frégate là-bas. »

Je ne répondis rien. Je ne relevai pas l'agressivité de l'opérateur-radio. Des oreilles apparurent fugitivement au milieu des ombres, j'entendis soudain un sifflement d'urine, un petit visage rouge et nu surgit prêt à éclater. Et la paille, la rouille, les plumes grises éparses, les piles d'os dénudés, les fientes, le cri lointain d'une bête à fourrure, les grands yeux ronds et lumineux d'un vieux cerf qui s'effondrait et s'enfonçait par l'arrière-train dans une mare de fange — tel était, me dis-je, le monde authentique du voyageur sans but, et dans ce torride jardin carcéral le jeune homme louche à mes côtés était, me semblait-il, à sa place et inoffensif.

« Allert », cria Ariane qui nous était cachée par un virage du sentier, « venez voir ce que j'ai découvert ! »

Un instant plus tard l'opérateur-radio et moi nous émergeâmes à sa suite du rideau protecteur de troncs de pins écailleux et entrâmes dans un long bâtiment bas en bois brut rongé par les intempéries. C'était le pavillon des reptiles, ce qui suggéra au jeune officier nonchalant quelques observations déplaisantes de plus sur les hommes qui jouent dans leur âge avancé des rôles de reptiles. De l'entrée à la sortie, qui se trouvait à l'autre bout, il ne contenait qu'une seule salle rectangulaire qui me rappela une vieille salle de bal aux murs couverts de pauvres décorations. L'éclairage était médiocre, la salle vide à part nous trois. Dans l'air stagnant je reconnus l'odeur caractéristique du pavillon des reptiles dans les zoos de mon enfance, odeur sécrétée par les canaux éliminateurs de rongeurs ou d'animaux à sang froid

lovés en anneaux desséchés. Elle ressemblait à celle
du venin, de l'urine ou de l'encre noire, sur un fond
de cacahuètes broyées.

« Dépêchez-vous », cria Ariane qui, seule et fluette
à l'autre bout du bâtiment, nous appelait et nous
faisait des signes d'encouragement, « dépêchez-vous,
Allert, et venez voir ce que j'ai trouvé ! »

L'opérateur-radio rejoignit immédiatement notre
compagne joyeusement animée, tandis que moi, d'humeur de plus en plus méchante, irrité par le mauvais
goût inattendu d'Ariane, je parcourais lentement le
côté droit du pavillon des reptiles, m'arrêtant de
temps à autre comme si j'étais véritablement inté-
ressé par une paire de crocs à venin décolorés ou
intrigué par la blessure qu'avait apparemment subie
le python.

« Venez donc, Vanderveenan », cria l'opérateur-
radio, qui avait à présent le bras autour de la taille
d'Ariane et serrait son corps mince et rieur contre
son uniforme froissé, « il y a là un spectacle surpre-
nant juste fait pour vous ! »

L'affrontement imminent dans le pavillon des
reptiles était, je le savais, inévitable, et afin d'en
reléguer le plus vite possible derrière moi la gêne
ou l'humiliation, je me détournai du sifflement quasi
inaudible de je ne sais quelle bête du désert pas plus
grande que ma main, dressée sur ses pattes de derrière
comme un maigre kangourou miniature, et je pris
place de l'autre côté d'Ariane qui continuait à rire,
toujours à demi enlacée par le jeune homme, avec
qui, du moins en ma présence, elle ne s'était jamais
montrée si familière.

— Alors, Ariane, dis-je de mon ton le plus pesant
— mon attention attirée une fois de plus par les

coutures de son pantalon collant —, qu'avez-vous trouvé de si drôle ?

— Des chauves-souris, Vanderveenan, des chauves-souris, dit l'opérateur-radio en riant, amenant d'une secousse Ariane contre son flanc.

— Comme elles sont étranges, n'est-ce pas, Allert ? Et belles ?

J'avançai d'un pas, j'enfonçai mes mains dans les poches de ma veste de toile. Je me livrai totalement à l'examen solitaire et inéluctable des chauves-souris dans leur cage. Elles étaient pour la plupart pendues, noires et repliées en longues grappes mouillées derrière le grillage de leur ignoble cellule, et je n'avais encore jamais vu ces démons des vieilles granges si grands, si menaçants, si gorgés de hideur latente. Leur tête à presque toutes, leur corps et leurs membres étaient enveloppés dans les longs plis raides des ailes noires à côtes qui les dissimulaient. Elles puaient de ce que je supposai être une sorte de déjection anale. Sans me retourner, sans jeter ouvertement un coup d'œil vers Ariane et le jeune officier de marine légèrement ivre, je décelai pourtant son geste maladroit et je sus que c'était maintenant Ariane qui portait la casquette blanche à visière beaucoup trop grande pour elle, qui, un instant plus tôt, était perchée en arrière, sinistrement inclinée, sur la tête osseuse de l'opérateur-radio.

« Regardez mieux, Vanderveenan. Vous les voyez ? »

J'étais juste devant le grillage en fil de fer. J'essayai de retenir ma respiration, comme je l'avais souvent fait enfant dans une situation semblable. Je regardai droit au milieu de la colonie de chauves-souris endormies, avec une telle intensité que je me rendis à peine compte qu'Ariane, qui n'avait pas retrouvé son équilibre, tendait la main et touchait ma manche. Comment n'aurais-je pas vu ce que l'opérateur-radio voulait me faire voir ? Après tout, les deux chauves-souris éveillées étaient parmi les plus grandes de cet essaim noir. De plus, elles étaient suspendues la tête en bas, face à moi et côte à côte et les ailes écartées et à hauteur de l'œil et au centre même de cette espèce de rideau noir bossué qui pendait de façon grossièrement trompeuse sur tout l'arrière de la cellule. Oui, les deux chauves-souris éveillées tenaient ouvertes leurs capes noires et s'exposaient aux regards, tels deux vieux exhibitionnistes. Je voyais les oreilles pointues, les griffes, les muscles élastiques, les écœurants visages grands comme un poing de nourrisson. Même à l'envers, les deux paires d'yeux minuscules qui ne clignaient pas étaient fixées sur les miens. Et le pénis de chaque chauve-souris était en érection.

— Et voilà, Vanderveenan. Deux nouveaux amis.

— Mais ils n'ont pas l'air malpropres comme on le dit, Allert. C'est curieux, non ? Vous ne les trouvez pas curieux et séduisants, ces deux petits mâles ?

Je ne répondis pas. Ne bougeai pas. Me contentai d'observer des vagues soudaines d'inquiétude qui traversaient les rangs assoupis avec des claquements et des chuchotements, puis j'expirai et pris inévitablement une grande inspiration. Les figures des deux chauves-souris éveillées et échauffées étaient ricanantes. Leurs pénis, chacun à peu près de la taille du petit doigt d'un enfant, ressemblaient à de minces champignons noirs étirés, et surgissaient parfaitement disproportionnés aux reins minuscules.

« Mais regardez-les, disait Ariane. Ils sont telle-
ment agiles ! »

Comme pour répondre à ses paroles et à sa voix
juvénile, ensemble les deux chauves-souris se rou-
lèrent et tendirent la moitié supérieure de leur corps
vers le haut si bien que, d'une façon grotesque,
impossible, les deux têtes avides se trouvèrent dans
une position telle qu'avec de brusques spasmes les
deux petites bouches perverses engloutirent le haut
de leur pénis respectif. Je compris immédiatement
que c'est à cela que les chauves-souris devaient être
occupées — à la gymnastique lente et saccadée de
l'auto-fellation — lorsque Ariane les avait aperçues
d'abord.

Derrière moi elle poussa un petit cri de plaisir,
se dégagea de l'enlacement de l'opérateur-radio et
à deux mains saisit le grillage de fil de fer. Sa blouse
était tachée, son petit visage aux proportions par-
faites était empourpré comme si elle y avait appliqué
quelque crème rose. Enfoncée sur sa tête, l'outra-
geante casquette.

— Allert, dit-elle alors, voyez-vous comme ils
se donnent du plaisir !

— Oh, dit subitement la voix derrière notre dos.
C'est un plaisir bien connu de Vanderveenan. Vous
savez faire comme les chauves-souris, n'est-ce pas,
Vanderveenan ?

Elle se retourna. Ses fines narines se dilatèrent. Un
petit soleil compact commença à monter du décolleté
de sa blouse violette. Sa respiration était lourde.

« Olaf ! » dit-elle rapidement, furieusement,
« Olaf, vous n'avez pas le droit d'être méchant ! »

Mais je m'étais déjà détourné de cette vermine
ailée encore insatisfaite, encore voracement occupée,

déjà je m'étais détourné de l'insulte contenue dans
la voix hostile de l'opérateur-radio. Je flairais les
rêves des serpents lovés, dans ma lenteur je tenais
enfermé le désespoir des deux chauves-souris, dans
ma bouche je goûtais le relent huileux de cacahuètes
tombées il y a longtemps de mains d'enfants qu'auraient passionnés, eux aussi, les activités des deux
chauves-souris. Je sortis. Ariane poussa un seul cri
faible et m'appela. Mais je ne lui répondis pas et
n'attendis pas qu'elle me rejoignît, car je n'étais pas
convaincu qu'elle le souhaitait et je savais qu'elle
n'était certainement pas de force à tenir tête au
jeune officier de marine, qui avait abandonné sa
bouteille vide près de la cage au python et qui de
toute évidence était lui-même irrésistiblement échauffé
par la vue des chauves-souris. J'emmenais, gravée
dans mon esprit, l'image d'Ariane portant la casquette blanche d'officier comme le ferait une fille à
matelots.

La lumière avait la couleur du bois de pin desséché.
Un ruban fané était accroché, observai-je, aux épines
d'un buisson sec et nu. De tous côtés s'étendait le
paysage ombreux des cages — désert, à l'abandon.
Une fontaine de marbre ne m'accorda pas une seule
goutte fraîche, malgré ma patience. Son bassin était
bourré de feuilles mortes. Je poursuivis ma route dans
mon costume de toile blanche qui, à peine quelques
heures plus tôt, quand je l'avais sorti du placard
de ma cabine, était net et agréable à toucher. La
lumière me faisait penser aux lueurs jaunes et vertes
qui accompagnent les lendemains cendreux d'érup-
tions volcaniques. Les cages devant lesquelles j'étais
passé avec l'opérateur-radio paraissaient vides.

Lorsque j'arrivai à la voiture, devenue à présent

une sculpture de songe dans la vaste obscurité, le vieux cheval resta indifférent à mes caresses pesantes et bien intentionnées. Je lui tapotai le nez, je lui passai la main sur le garrot, je lui parlai doucement en néerlandais. Mais sans effet. Quant au vieux cocher, il n'ouvrit pas l'œil, quoique j'eusse pesé de tout mon poids sur le petit marchepied en fer de la voiture, quoique la voiture noire eût grincé et oscillé dangereusement, quoique j'eusse repris ma place primitive sur le siège rembourré d'une façon involontairement maladroite et bruyante. Manifestement le vieil homme et la bête vétuste dormaient du même sommeil dans les profondeurs de leur sénescence.

J'attendis ainsi le retour des amants. Je me détendis du mieux que je pus, je remarquai le sac de vannerie par terre près de mon pied, je croisai les jambes, je fumai un cigare — mais trop vite, un peu trop vite — et, seul dans la voiture endormie et le vaste zoo silencieux, je pensai avec un peu d'amertume que là se trouvait la réalité des « Iles paradisiaques », ces îles promises dans les pages de la brochure décrivant les charmes exceptionnels de notre interminable croisière. C'était cela, me dis-je, la vérité de l'exotisme auquel nous étions destinés, le goût de nos rêves.

Je dodelinai de la tête, j'aspirai une dernière bouffée du cigare, je toussai, je vis arriver Ariane par le sentier ombragé. Elle était seule, elle était nu-tête, elle marchait d'un pas vif, elle était encore en train de rajuster son pantalon collant et d'y rentrer sa blouse violette, opération insignifiante mais révélatrice que cet ensemble de gestes. Et sans parler, sans changer de position dans la voiture,

sans sourire, je lus dans le mouvement de ses mains
et de ses doigts ce qui, de toute évidence, s'était
passé sur le plancher poussiéreux du pavillon des
reptiles. Elle était en colère, elle s'était habillée
à la hâte, elle ne me salua pas de la main et ne
dit rien. Il n'était que trop apparent qu'elle se
moquait bien que je devine toute la longue histoire
si clairement révélée par sa façon de marcher et de
tirailler sur ses vêtements.

Elle monta dans la voiture, s'assit à côté du cadavre
hollandais que j'avais le sentiment d'être à ce moment,
et se pencha en avant pour secouer rudement le
bras du vieux cocher.

« Nous retournons seuls au bateau, dit-elle d'une
voix sonore. Nous partons sans lui. »

Le vieil homme réveillé en sursaut prit les rênes.
Nous cheminâmes en silence. Du sommet des col-
lines, les pins-parasols derrière nous et la petite
ville argentée étalée à nos pieds, je remarquai que
le soleil descendait comme une cargaison enflam-
mée sur l'arrière du navire. Et plus tard, après
qu'Ariane se fut adoucie, après que nous eûmes ren-
voyé la voiture, après qu'elle m'eut suivi sans ouvrir
la bouche jusque dans ma cabine obscure — alors
elle se tourna vers moi, saisit mes bras, y passa les
mains de haut en bas et de bas en haut, les tâtant
et les pressant comme pour s'assurer de ce qu'elle
éprouvait pour moi et que j'étais bien là en chair
et en os. Elle était petite, elle se tenait aussi droite
qu'elle le pouvait, scrutant mon regard, des ombres
foncées estompaient ses traits.

« Allert », dit-elle après un temps très long et
à voix basse, « s'il te plaît... »

J'entendis la tendresse de cette prière, je sentis

l'odeur des profondeurs de la mer, je réfléchis, je songeai au pavillon des reptiles plongé dans une obscurité totale. Et alors je me laissai fléchir.

Dans la nuit l'opérateur-radio saoul regagna le navire, soutenu par les deux femmes de l'orchestre du bord. Le lendemain Ariane et lui passèrent la moitié de l'après-midi sous une brise tiède au court de volley-ball.

*

« Allert », dit-elle, se tournant tout à coup vers moi tout en s'habillant, « j'ai une question très simple à te poser. » Elle appuya la main sur le dossier du fauteuil de cuir puis, m'observant, traversa la pièce et enfila un slip qui, une fois en place, avait moins l'air d'un sous-vêtement soyeux que d'une nuance légère qui aurait pu être posée là il y a longtemps par un peintre barbu. Elle s'arrêta encore, me regarda encore fixement. Je fis tomber la cendre de mon cigare. « Allert, dit-elle, pour quelle raison es-tu ici ? Pour quelle raison exacte ? Le sais-tu ? »

Mais si Ursula était capable de me poser une pareille question, comment moi aurais-je été capable d'en trouver la réponse ?

*

Par une des matinées les plus claires et les plus denses de froid que j'eusse jamais vue, alors que nous roulions vers le village, Ursula et moi, dans l'auto de Peter sur la route couverte de neige, elle déclara que pendant que je passais en jugement elle avait fait l'amour tous les soirs avec mon avocat.

C'était, selon son expression, sa façon de se récompenser elle-même de sa loyauté. A ce moment je fus tenté de lui raconter qu'ils m'avaient accueilli dans ma cabine avec des menottes noires le soir où nous étions arrivés au port. Mais je résistai à cette tentation, alors et par la suite.

*

Je me réveillai. J'étais mouillé. Les draps avaient doublé d'épaisseur et ils étaient tendus sous mon corps comme une immense croûte arrachée à la plaie de la nuit. Je ne voyais rien, je ne percevais rien à part mon poids et la sensation de ma sueur imbibant et enduisant les draps. Mais où avais-je donc été ? Qu'avais-je donc rêvé ? Pourquoi étais-je si mouillé et frappé d'une si évidente paralysie ? De quelles profondeurs étais-je remonté à grand-peine jusqu'à cette surface stagnante ? A plat sur le dos, les lèvres entrouvertes, en attente, le corps abandonné sur les draps et trempé de sueur — ainsi étais-je étendu seul, quoique je fusse à côté d'Ursula, et ainsi pris-je conscience de souffrir d'une soif véritable, et ma bouche me parût épaisse et chaude. Mais qu'avais-je donc rêvé ?

Plus tard, à mon retour dans la chambre éclairée par la lune, venant des cabinets obscurs où je m'étais traîné comme une bête blessée jusqu'au trou d'eau nocturne, et où dans l'obscurité carrelée j'avais ouvert le robinet, écouté couler l'eau froide et bu à satiété, là debout dans l'embrasure de la porte de la chambre à coucher, je vis Ursula étalée dans la pénombre, sa chemise de nuit relevée et sa main droite s'agitant dans toute la large zone érogène entre ses jambes écartées et légèrement soulevées. La chaleur émanant de son corps m'atteignait par vagues à travers la chambre baignée par la lueur de la lune. Même durant son sommeil l'active vie érotique d'Ursula ne pouvait se calmer.

Mais où avais-je été ? Qu'avais-je rêvé ?

*

— Voyons, dis-je, pourquoi faire chavirer le navire ? Pourquoi tiens-tu à faire chavirer le navire ?

— Le mot propre c'est barque. Pourquoi ne peux-tu pas parler comme tout le monde ? Tes affectations de langage ne m'amusent pas.

— Mais vraiment, tu ne devrais pas faire chavirer le navire. Après tout, Peter a eu la consolation de mourir en notre présence à tous deux. L'un de nous mérite sûrement de mourir en présence de l'autre. Peut-être aimerais-tu changer d'avis et rester. Pourquoi pas ?

— Tu es déjà mort, Allert. Tu n'as pas besoin de moi. Il y a bien trop longtemps déjà que je verse des larmes à la suite de ton enterrement.

Pendant ce bref dialogue, et il y en eut plusieurs autres semblables, la pipe poussiéreuse de Peter se trouvait dans mon cendrier, et l'auto de Peter, vide, fermée à clé, couverte d'une couche de gel et de toiles d'araignées, était dans notre vieux garage. Ursula fumait une cigarette odorante.

*

En pyjama, pieds nus, j'entrai dans la salle de bains trempée de vapeur et pleine du parfum d'Ursula et d'une autre senteur plus corsée qui me fit imaginer Ursula en train de se traire dans le lavabo. Je reniflai l'humidité. J'agrippai le bord du lavabo, et je sentis l'odeur de ses cheveux. Je ne savais pas l'heure et je n'avais même pas jeté un coup d'œil dehors sur l'immensité de neige blanche, comme j'en avais l'habitude. La salle de bains était sombre, mouillée et sentait Ursula — ses cheveux, sa peau, son parfum de fleurs, ses jets de lait minces et véhéments.

J'ouvris le robinet. Rien. J'ouvris l'autre, rien. Je tirai la chasse d'eau. Pris d'une sorte de fièvre, je tournai les manettes de chrome de la baignoire profonde et de la douche col de cygne. Rien, absolument rien. Je me mis à trembler. Je sortis dans le couloir qu'emplissait la quiétude du soleil matinal.

« Ursula », criai-je enfin, « il n'y a pas d'eau. Que se passe-t-il ? Qu'est devenue l'eau ? »

Et alors j'entendis le bruit d'un moteur d'auto et derrière moi tout à coup un grondement et un jaillissement furieux dans la cuvette des W.-C., le lavabo, la baignoire, la douche, comme si, au moment où j'aspirais à la paix et à la purification, un monstre d'incongruité aquatique avait répondu à mes implorations. Je me précipitai dans la salle de bains pour fermer les robinets.

*

A l'inépuisable découverte de l'imagination musicale, me dis-je, en écoutant, allongé à la poupe du navire dans les plis de toile de ma chaise longue, le tintement syncopé du trio du bord dans l'après-midi déclinante. Eût-ce été un autre navire, un autre voyage, j'aurais sans nul doute été enveloppé dans une couverture grossière sur ma chaise longue et le ciel aurait été gris, la mer houleuse, le temps froid, et notre arrivée prochaine aurait défini de façon indiscutable l'heure de la journée et les milles nautiques. En l'occurrence, je n'avais aucun besoin de couverture et j'étais étendu de tout mon long dans le transatlantique en bois et en toile sur la plage arrière, sans autre but que de jouir paresseusement de l'éclat d'une journée qui n'avait pas d'heure et d'écouter les cris des baigneurs dans la piscine du navire et la musique de fond mélodieuse et informelle de l'orchestre du bord. Une musique qui convenait bien à cette journée, à ce navire, à ce voyage puisqu'on n'y trouvait aucun dessein ni signe qu'elle pût finir. Sans même tourner la tête ni ouvrir les yeux, je pouvais me représenter les trois musiciens et cette fois je me découvris indifférent aux deux mains du vibraphoniste négligemment enveloppées de pansements sanglants, et indifférent aussi aux deux femmes mûres, respectivement saxophoniste et batteuse, si semblables qu'elles auraient pu être sœurs.

J'avais les yeux clos, mon peignoir de tissu éponge s'ouvrait largement au soleil, notre allure était régulière, j'étais pleinement conscient de la tendre sérénité figée de mon visage, mon cigare rougeoyait — et je me disais que pour une fois j'étais indifférent à ce trio de mauvais augure.

A cet instant précis dans le temps, alors que le moment était intact mais l'heure évanouie, j'entendis la grêle musique sentimentale à percussion s'arrêter au milieu d'une mesure. J'ouvris les yeux. Les nageurs jouaient aux marsouins dans la piscine, le ciel était clair, les baigneurs criaient, loin au-dessous de nous les machines tournaient brutalement et sereinement, le navire semblait réel, ma peau était protégée contre les rayons du soleil par une lotion calmante qui avait la forte odeur d'une des épices les plus douces cultivées sur les îlots que nous avions longés pendant la nuit. Mais derrière moi il n'y avait plus de musique.

Je me redressai sur ma chaise longue. J'entendis une chute et un fracas indubitablement produits par quelqu'un qui avait renversé une cymbale de cuivre montée sur un long trépied fuselé. Ce dispositif filiforme s'écroula sur le pont. J'entendis quelques battements irréguliers sur la grosse caisse. Le musicien jura — c'était indubitablement sa voix que j'entendais. Ensuite le son d'une paume nue frappant une joue empourprée, or les deux mains du vibraphoniste étant emmaillotées dans leurs pansements infects, je me dis que ce n'était pas lui l'agresseur. Alors une des femmes — la saxophoniste ? la batteuse ? — proféra je ne sais quel propos injurieux dans une langue étrangère que je ne comprenais pas. Il y eut encore un bruit de chute, un étrange fragment de gamme sur le vibraphone, puis la voix bestiale de la femme s'arrêta, elle aussi, au milieu d'une phrase.

A ce moment, qui était également indéterminé dans l'océan du temps, Ariane apparut soudain près de ma chaise. Tandis que je m'efforçais de me retourner en m'inclinant à droite pour voir le trio des musiciens du navire, à présent dissocié, silencieux, Ariane apparut à ma gauche, se pencha en avant, saisit l'accoudoir de mon siège et me parla d'un ton bas et pressant que je ne lui avais jamais entendu.

« Allert, dit-elle, les gens de l'orchestre se disputent. C'est terrible. Terrible. »

Plus tard, alors que le bateau coupait la route d'une bouée noire partie à la dérive de quelque mouillage inconnu et au moment où, ayant quitté la chaise longue, nous nous apprêtions, Ariane et moi, la main dans la main, à descendre dans sa cabine ou dans la mienne, je remarquai le vibraphone abandonné, la grosse caisse silencieuse, le saxophone comme un oiseau d'or étranglé par le crochet auquel il était suspendu, et par terre sur le pont la cymbale et son support mince mais disgracieux.

« Allert, dit-elle, ne crois-tu pas que c'est un signe ? Je ne pourrais pas supporter un voyage qui ne soit pas harmonieux. »

Je la rassurai, lui disant que le vibraphoniste et ses deux laides partenaires étaient sûrement déjà en train de s'embrasser dans leurs cabines obscures au-dessous de la ligne de flottaison. L'idée me vint qu'Ariane caressait le projet de rejoindre le trio du navire quand, sur la plage arrière, il se mettrait à jouer son dernier grand morceau au moment où notre bâtiment, contournant la jetée, rentrerait à son port d'attache joyeusement, la vapeur fusant de ses sifflets tandis que le soleil brillerait dans les yeux de tous les voyageurs réjouis massés contre le bastingage. Mais c'est de nuit que nous arrivâmes.

*

« Mais bien entendu, disait Peter, bien entendu le schizophrène peut avoir un caractère romanesque comme n'importe qui d'autre. Non, mon ami, qui

d'entre nous oserait refuser au schizophrène la possibilité de se conduire d'une façon romanesque ? »

Ses longs doigts sombres arrachaient les plumes
gelées du canard qui était mort et bleu. Je savais
bien que, dans les bottes de caoutchouc qui lui mon-
taient jusqu'aux genoux, ses chaussettes de fil
d'Ecosse étaient neuves et chaudes, douces, épaisses
et bicolores — vertes et rouges. Je connaissais les
particularités des chaussettes de Peter parce que
c'étaient les miennes. Au-dessus de nos têtes, les
glaçons pendaient des gouttières comme des dents
transparentes. Le soleil couchant ruisselait sur la
neige.

« Tu ne devrais pas être si braqué contre les
Champs Sauvages, poursuivit-il. Nous avons beaucoup d'amours durables aux Champs Sauvages. Cela
fait partie du traitement, mon ami. Partie du traitement. »

Ce jour-là la fumée de sa pipe avait l'odeur de
la forêt obscure que le canard mort qu'il tenait dans
sa main rasait d'un vol rapide à peine quelques
minutes ou quelques heures auparavant. Ce jour-là
le sourire de Peter aurait convenu au visage tanné
d'un conquistador. La graisse du canard tombait en
gouttelettes, larmes de cire rouge tachetant la neige
pure.

*

J'ai toujours trouvé curieux que Peter, qui ne
s'est jamais marié, ait pratiqué une stricte mono-
gamie, grâce au pouvoir de la sombre prestance d'Ursula et à sa force de caractère, tandis que moi, qui
suis devenu le mari d'Ursula un dimanche après-midi

à la campagne dans une petite chapelle de pierre qui avait accueilli un enterrement le matin même, j'ai vécu aussi libre sexuellement que le vent de l'Arctique. Je trouve curieux que deux amis, chasseurs de canards, aient pu être si différents, et qu'Ursula ait considéré Peter comme un amant et moi comme un mari. J'ai souvent pensé que nos situations auraient dû être interverties.

*

Hier, en tassant la neige avec mes bottes de caoutchouc et en brûlant un tas de bois mort que j'avais traîné de la lisière de la forêt qui se dresse noire et lointaine derrière notre maison et en sentant l'air froid s'épaissir et se cristalliser dans mes poumons et une barbe nouvelle souligner ma figure gercée, hier je me suis rendu compte qu'entre l'heure de mon acquittement — événement que je laisse rarement affleurer à ma conscience — et le moment précis où je me suis arrêté pour essuyer la suie que j'avais sur la mâchoire, il y avait eu huit ou peut-être neuf longues années de vie commune, de solitude, de vie hivernale. Et durant tout ce temps je me suis considéré comme un homme modéré, lent, raisonnable, d'un trop fort gabarit, vieillissant. Mais ordinaire, toujours ordinaire, simple propriétaire d'un domaine modeste mais aménagé avec goût (avec une jolie femme, un ami fidèle, des maîtresses, plusieurs autos). Et pourtant durant ces années, me suis-je dit hier en humant la fumée charbonneuse du feu et en regardant les étincelles jaillir vers un ciel mort, Ursula a dû me considérer comme un époux hollandais qu'on aurait lobotomisé — mais imparfaitement. Le caractère médical de cette métaphore, elle le tiendrait de Peter.

A ce moment l'intangible engendra une fois de
plus le tangible. Et en m'éloignant du feu, qui
envoyait à présent vers le ciel une longue colonne
de fumée noire comme si un petit avion venait de
s'écraser à la lisière de ma forêt, je me sentis effectivement lobotomisé. Ma tête était comme un rocher
pris dans une chape de glace. Mon pas était lent.
Je savais que, si j'avais pu prendre un marteau et
fendre mon rocher congelé, ma tête frigorifiée, j'y
aurais trouvé intact le souvenir : que trois ans
s'étaient écoulés depuis que Peter était mort.

Dans la cuisine je trouvai au milieu d'une assiette
en grès mon habituel petit verre de gnôle limpide,
que je pris et vidai avant même d'enlever mon
chandail ou de laver les traces laissées par le feu
sur mes mains engourdies et nues.

« Ursula, criai-je, es-tu là ? »

Il n'y eut pas de réponse.

*

« Je ne voudrais pas te froisser, disait Peter, mais
dis-moi, Allert, as-tu mis une perruque ? Ce soir
tu as absolument l'air d'avoir une perruque. »

Il fit tournoyer la glace dans son verre. Il tendit
ses longues jambes maigres vers le feu près de s'éteindre. Il se mit à rire, Ursula se mit à rire. Je ris
aussi, parce que, un instant avant cette observation
fâcheuse de Peter, je m'étais posé exactement la
même question à propos de mon élégant ami. Effet de
l'éclairage ? Conséquence indirecte de notre indéniable inclination à vivre une nuit d'amour ? Peut

être bien, peut-être bien, vu que les cheveux de
Peter brillaient drus à la lueur réduite du feu, et
que de là où j'étais assis, de l'autre côté d'Ursula, je
sentais le parfum dont il s'était servi largement, en
secret, selon son habitude, en prenant son bain à
l'étage au-dessus. Mais l'observation de Peter était
extrêmement fâcheuse.

Mes cheveux ont toujours été bien à moi.

*

Dans mon rêve je suis redevenu un enfant, grand
et corpulent, quoique très jeune, et seul dans le
vaste château blanc du village de mon enfance et
de mon adolescence. Le jour est empreint de mystère, l'après-midi imprécise, l'immense chambre à
coucher où je me trouve n'est pas la mienne, une
seule nappe oblique de soleil déclinant éclaire la
chambre d'un éclat qui ne s'éteindra jamais. Et je
suis seul, je n'arrive pas à entendre le moindre
son, ni le cliquetis de l'argenterie dans la cuisine
beaucoup plus bas, ni les voix féminines, ni la
rumeur de nos oies blanches qui caquettent dehors.
Je suis en sécurité, ou du moins je le crois, en
sécurité et debout sans raison au milieu d'une chambre qui est grande, chaude et qui a une odeur de
poudre de riz et de lotion pour la peau à base
d'huile de pin. La chambre m'est à la fois familière
et inconnue. Je sais que c'est celle d'où je suis généralement exclu sauf invitation spéciale. Et cependant, seul et tremblant au sein de cette sérénité,
avec la porte close et le soleil qui, en une seule nappe,
pénètre ma jeune existence, je sais aussi que je n'ai
encore jamais vu ce lit, cette coiffeuse, ce fauteuil

doux comme une énorme pêche, ce tapis moelleux qui ressemble à un champ de neige. Et cependant je reconnais la paire de brosses à cheveux noires, masculines, sur la coiffeuse.

J'ai conscience de la raison précise pour laquelle je me suis risqué à entrer dans cette chambre vaste, attirante et, oui, même précieuse. Je sais ce que je veux. Je le sais depuis des jours, depuis un mois, depuis des saisons de désir enfantin. C'est un supplice, l'expectative du bonheur. Et debout au centre de la chambre, mon corps innocent et replet coupé en deux par la nappe de lumière et voyant le lit spacieux et le haut miroir glacé fixé à ce que je suppose être une porte de penderie, une fois de plus je me dis que cela doit être, que je ne me laisserai pas frustrer, qu'une fois pour toutes il faut que je sache de façon certaine de quoi a l'air une femme dévêtue ou presque entièrement dévêtue.

Je tremble, je suis un impresario, le metteur en scène d'un acteur magique dans un théâtre secret car je ne suis que trop conscient d'être moi-même le seul accès à ce que je veux savoir. Je flaire l'odeur féminine d'une houppe à poudre cachée, je sens la tension du couvre-lit pâle, si bien tiré sur l'énorme lit que ce meuble décent m'attire carrément à présent par ce qu'il a d'interdit, de lubrique. Oui, me dis-je, comment pourrais-je découvrir de quoi a l'air une femme sans ses vêtements ? Etant donné qu'en voir une est tout à fait impossible, que je suis inconnu de toute femme en dehors de celles qui vivent dans notre maison (maman, deux servantes, une vieille cuisinière), que je suis jeune, innocent et nullement enclin à l'espionnage, quoique l'impulsion à laquelle j'obéis soit désespérée — oui, de quelle autre manière verrai-je jamais ce qu'il faut que je sache, sinon par moi-même, grâce à ma propre ingéniosité ?

J'ai conscience du lit, du soleil, du silence, des sous-vêtements sur le lit, du miroir qui recouvre entièrement la porte de la penderie. Né du silence, mon projet a fondu sur moi. Le mystère sera révélé.

Vite, avec des gestes précis, je m'extirpe de mes culottes courtes, je retire mon slip, mes souliers noirs à bouts carrés et mes chaussettes d'hiver, ma cravate, ma chemise, mon maillot de corps, puis, en pleine possession de ma personne et de mon brillant projet et maîtrisant douloureusement mon être désespéré, lentement je m'approche du lit et je m'empare du léger dessous lilas. Soigneusement, défaillant et excité, je parviens à introduire mes pieds nus dans les trous, avec maladresse, avec rapidité et à remonter ce dessous vaporeux le long de mes cuisses enfantines, en prenant garde à ne pas déchirer la soie, en lissant le fin tissu contre ma peau à chaque mouvement. Et finalement ce dessous lilas et odorant, évidemment destiné à une femme adulte, est devenu une seconde peau parfaitement adaptée à mes fesses rebondies et à mes reins avides de jeune garçon.

Comment cet enivrant et fragile sous-vêtement est-il apparu magiquement sur le lit accueillant ? Et au corps de qui était-il destiné ? A celui de ma mère ? Ou d'une des servantes ? Je n'en sais rien, peu m'importe, enfin je touche, je sens, je porte même ce que je n'avais encore vu que fugitivement sur les pages glacées de luxueuses revues illustrées. Je me sens exalté par ma transformation commençante. La chaleur de tout l'univers à venir va m'être révélée.

La nappe de soleil est immobile, ma respiration précipitée est claire.

Puis j'accomplis l'acte final de mon plan. Je conduis jusqu'à sa conclusion le rôle magique que je joue sur la scène secrète. Nu, à part le petit pantalon de femme lilas, et souriant, je fais mes calculs, vite je me glisse le long du mur jusqu'à la porte de la penderie, j'en saisis le bouton et, sans regarder une seule fois dans la glace, je le tourne et j'ouvre la porte à un angle d'environ 45 degrés puis, me retournant, je pousse le lourd fauteuil qui fait penser à une pêche jusqu'au bord du champ de vision du miroir. Alors je m'appuie contre le fauteuil et, avec plus de précaution que jamais, je me place de manière que mon corps, de la taille jusqu'aux pieds, se trouve emprisonné mais libre de prendre dans la glace argentée une tout autre vie.

J'ouvre les yeux. Je remue la tête comme le fait un serpent au son de la flûte de son charmeur. J'empêche ma tête ou mon torse, ou une grande partie de mon torse, d'apparaître dans le miroir magique. Et ça y est, voilà le ventre et les hanches et les cuisses et les mollets d'une femme plutôt petite à la peau bien tendue, n'ayant pour tout vêtement qu'un léger pantalon lilas au milieu de l'après-midi. Elle est vivante. Elle bouge. Déjà les rubans élastiques qui serrent les jambes et la taille impriment des petites marques rouges dans la chair de la femme du miroir. Sa peau est blanche, elle est tendue et lisse, ses mucles fessiers remuent parfaitement visibles sous les fleurs mauves transparentes de son pantalon, et sa cuisse la plus proche de l'observateur à présent extasié est levée, dodue, dissimulant avec naturel le plus secret de tous les tendres triangles, aux yeux fixes et ardents d'un spectateur qui n'a jamais épié une femme mais s'épie lui-même avec amour et délectation.

Un bras apparaît, un pied détendu se contracte en un arc séduisant, le mollet de la jambe levée se balance dans le merveilleux miroir, la main gauche remonte le long de ce mollet et de la cuisse levée en un mouvement tendre et caressant comme pour palper longuement une pièce de soie rare. La nappe de soleil coupe la taille potelée. La petite main se pose sur la hanche, fait claquer l'élastique et puis apparaît lentement au sommet de la hanche et descend jusqu'au devant caché et avide du petit pantalon.

Je halète, je détourne le regard, la chambre s'obscurcit, envahie par une ombre grise uniforme, et redevenu un jeune garçon que fait transpirer l'effort de son imagination, vite j'écarte l'entre-jambes du pantalon et, appuyant mon dos flasque contre le fauteuil, je regarde un long fil phosphorescent jaillir du bout de mon petit pénis rouge effrayé et serpenter au ralenti à travers la pièce, flotter, ondoyer, monter jusqu'au plafond élevé où interminablement il se replie et s'amasse en grandes boucles fibreuses et mouillées.

Ma petite scène est terminée. J'ai tout vu. Sous des formes innombrables je le reverrai. Et tandis que je sombre dans les ténèbres j'entends la porte s'ouvrir derrière moi et une voix féminine paisible et réconfortante dire : « Demain il faut que tu te fasses couper les cheveux. Pour un grand jeune homme comme toi, mon chéri, tu as les cheveux beaucoup trop longs. »

Une des servantes ? Maman ? Dans ma sérénité

nouvellement acquise, je n'ai aucun besoin de le savoir.

Quand j'ai relaté ce rêve à Ursula, elle m'a dit que si seulement j'avais eu une sœur je n'aurais pas été obligé d'absorber au fond de moi les éléments œdipiens explosifs de l'enfance d'un garçon. Si j'avais eu une sœur, dit-elle, j'aurais été plus heureux et je n'aurais pas eu besoin de devenir ma propre mère en même temps que son petit voyeur admiratif, dans mes rêves les plus précoces. Ou peut-être aurais-je dû être une fille. Mais d'un autre côté, une éjaculation aussi spectaculaire, dit-elle, était peut-être sans prix.

A ce moment la voix d'Ursula avait pris un ton apaisant, inusité et, dans l'obscurité, c'est sans aucun doute le son de cette voix dans ses propres oreilles qui précipita le geste tendre mais délibéré de sa main en quête du devant froissé de mon pantalon. Alors qu'elle aurait pu me faire le plus de peine elle me donna le plus de plaisir.

Mais comment Ursula a-t-elle reconnu aussi vite ma mère dans la femme que j'étais devenu en rêve ? Et quel dommage qu'Ursula n'ait pu toujours être aussi perspicace et compréhensive.

*

« Allert, disait Peter, te souviens-tu de notre conversation sur un traitement auquel j'ai fini par convaincre mes collaborateurs des Champs Sauvages de renoncer il y a quelques années ? »

Je souris de mon sourire lourd et vague. Je me frappai la tempe, j'essayai de reconstituer une vague conversation sur les traitements psychiatriques, tout en me demandant ce que cela pouvait me faire, en quoi cela me concernait. Je me penchai pour remonter ma chaussette de couleur vive, je hochai la tête. Mon bureau était blanc, agréable, bien rangé mais plein étrangement d'une puissante odeur de gnôle ; pourtant un seul petit verre d'alcool luisait à portée de mes doigts enflés qui tambourinaient lentement. Je grattai une allumette et tirai lentement quelques bouffées de mon cigare. Je me rendais très bien compte que Peter observait mes yeux avec attention. Je me souvenais avec une netteté parfaite qu'il avait maintes fois déclaré que mes yeux étaient beaucoup trop petits pour qu'on pût s'y fier. Dans mon bureau nous étions seuls, l'un en face de l'autre dans des fauteuils jumeaux.

— Oui, dis-je, soufflant de la fumée et m'aidant de mes mains pour croiser un de mes genoux sur l'autre... oui, je crois me souvenir de quelque chose de ce genre. C'était pour toi une victoire assez importante, n'est-ce pas ?

— Oui, mon ami, une victoire. Même le plus brillant des jeunes médecins peut être obstinément attaché aux vieilles méthodes barbares. Et pourtant ces derniers temps je me suis demandé si je n'avais pas eu tort. Peut-être n'aurait-on pas dû renoncer à ce traitement.

— Mais il était dangereux. Si je me souviens bien, tu l'as déclaré dangereux.

Ses yeux bleus observaient les miens. Il avait un genou croisé sur l'autre, comme moi, et les bouts de ses longs doigts bruns étaient joints en un geste de prière. Son visage tanné était un masque de concentration impassible et de nerfs atones, son élégance anguleuse raillait mon propre gabarit informe.

6

Il était évident que Peter ne connaîtrait jamais la
sensation de fines veines bleues sillonnant la blancheur d'un bras adipeux. J'attendis, tirant sur mon
cigare, songeant à un cheval bai attelé à une voiture bien astiquée derrière un château blanc et recon-
naissant dans les paroles de Peter une gravité, voire
une condescendance, familière. Une fois de plus, je
le savais, il me tendait un piège dans une de ses
pauses dramatiques.

— Oui, Allert, dit-il enfin, tu as raison. C'était
un traitement dangereux.

Il se tut et attendit. Je ne pus résister plus longtemps au petit verre de gnôle. Je me surpris en train
d'imaginer un malade récalcitrant, qui, dans un fol
éclair de lucidité, arrache soudain de la poche de la
longue blouse de Peter un roman populaire sur deux
jeunes infirmières qui décident de se servir de leur
sexe pour guérir les aliénés. Encore un traitement
dangereux, me dis-je.

« Le problème soulevé par cette méthode archaïque », dit-il enfin, comme s'il faisait un cours à
quelques-uns de ses étudiants dans la lumière chaude
de mon bureau, « est qu'en plongeant le patient dans
des comas de plus en plus profonds, on le rapprochait de plus en plus du seuil de la mort. Le malade
descendait au cœur de lui-même et pendant que nous,
médecins et personnel soignant, nous tenions anxieu-
sement à ses côtés, toujours prêts à lui administrer
un antidote ou à engager une espèce d'opération
de secours, il voyageait à l'intérieur de lui-même
et, en une sorte de supplice sexuel, sombrait dans
les profondeurs de l'obscurité psychique, se noyait
dans la mer de sa personnalité, s'enfonçait dans le
long chaos lent du rêveur à la limite de l'anéantisse-

ment. Plus un tel malade s'approchait de la mort, et plus le traitement était efficace. Plus il devenait pâle et trempé de sueur dans son linceul de draps caoutchoutés, mon ami, et plus sa respiration devenait profonde et plus son pouls ralentissait, plus il se sentait consumé comme dans du plomb liquide, plus la souffrance qui le rapprochait de l'oubli était aiguë, plus son rétablissement, sa re-naissance, était grand, profond et joyeux. La guérison quand elle avait lieu était étonnante. Le seul inconvénient était que le patient pouvait mourir. D'un autre côté, coma et mythe sont inséparables. On ne peut faire l'expérience d'un mythe authentique que dans le coma. Peut-être une pareille expérience vaut-elle ce risque nécessaire de mort.

Il s'arrêta, fit une pause, fronça les sourcils. Son visage brun et allongé prit une expression de tristesse et de réflexion. Mais je savais qu'il n'avait pas terminé, qu'il désirait dire quelque chose de plus, ce qui rendit mon souffle plus court. Aussi me taisais-je, et, bien intentionné et sans défense comme toujours, je me bornais à le regarder de mon habituel air de franchise comme pour l'inviter à conclure, à manifester son amertume coutumière. Je me surpris à souhaiter que la lumière fût grise et qu'il neigeât.

« Allert », dit-il alors, tandis que la sueur se mettait à perler sur ma nuque, « t'est-il jamais venu à l'esprit que ta vie était un coma ? Que tu vis ta vie entière dans le coma ? Quelquefois je ne peux m'empêcher de penser que tu n'émerges jamais de ta caverne aux lueurs vacillantes. Tu dois savoir des choses que nous autres nous ne pouvons jamais savoir, excepté par déduction. Mais je ne t'envie pas l'obscurité et la souffrance de ton coma, mon ami. J'espère que tu n'y mourras pas. »

Silence. Encore du silence. Il en avait terminé enfin. Et je levai la main, je tirai trois bouffées de mon cigare, je levai la tête, le verre de gnôle était vide, la pièce était tiède. Peter, debout, se préparait à quitter mon bureau à la recherche d'Ursula. Si la pitié pouvait tuer, comme aimait le dire Ursula, je serais mort sous son regard.

« J'ai de l'affection pour toi, dis-je. Ursula et moi, nous avons tous deux de l'affection pour toi. Mais il y a certains jours où ta compagnie me déplaît. »

En passant à côté de moi, il laissa un instant sa main s'attarder sur mes épaules affaissées.

*

« Que penses-tu, disait Peter, de ma théorie selon laquelle, passé un certain âge, il devient tout à fait impossible de se faire de nouveaux amis ? La voie d'accès à un ami imprévu est tout bonnement obstruée. Finie la joie d'une reconnaissance soudaine, finis les nouveaux visages, fini le long partage de confidences secrètes qu'on n'avait jamais entendues, fini le frémissement qui vous saisit à entendre une nouvelle voix résonner dans l'air. Plus rien de tout cela pour ceux d'entre nous qui ont dépassé un certain âge. Nous nous contentons de vivre du mieux que nous le pouvons avec les vieux amis que nous nous sommes faits, jusqu'à ce qu'il y ait un affront de trop ou quelque absurde accès de rivalité sexuelle, ou que l'un de nous meure, et c'est ainsi que même les vieux amis disparaissent. C'est une situation désespérée, mon ami. Tout à fait désespérée.

— Mais Peter, dis-je en riant et en tendant la main au ralenti à travers une vitre transparente vers la neige de mon enfance, il y a au moins nos maîtresses qui conservent leur attrait, leur intérêt. N'est-ce pas vrai ?

Mais pour ma part je n'ai jamais eu de maîtresse, bien entendu. Rien que mes ardentes jeunes filles et mes amitiés féminines. Rien qu'une épouse.

*

« Que penses-tu, disait Peter, de ma théorie selon laquelle un homme reste vierge jusqu'à ce qu'il ait commis un meurtre ? La perte d'une pureté non désirée ne dépend pas de l'accomplissement de l'acte sexuel mais seulement de ce qu'on appelle en général le plus odieux des crimes. Qu'en penses-tu ? »

*

Mon éruption est devenue une sorte de sous-vêtement impossible à retirer qui couvre et contient mon ventre, mes fesses et mon sexe en une poussée palpable et humide, d'une couleur semblable à celle de l'eau tiède teintée de sang. Ainsi s'est-elle étendue. Mais cette rougeur, cette plaque de couleur, est plus épaisse que la peau. C'est une excroissance qui a entièrement enveloppé la partie médiane de mon corps et, ce faisant, a perdu sa texture grumeleuse qui évoquait à un moment pour moi la chair d'une fraise aux lèvres roses. A présent elle est lisse, veloutée, épaisse et, durant la majeure partie de la journée, luisante et moite de sa propre sécrétion. Je n'ai jamais vu une éruption pareille et n'aurais jamais

imaginé une affection cutanée qui pût changer autant
et prendre une telle ampleur. C'est comme si j'étais
ceint nuit et jour du velours, ainsi qu'on le nomme,
qui revêt les bois de certains animaux nordiques à
ramures (élans et autres) juste avant la saison de
l'agressivité sexuelle et de l'accouplement. Mais ce
n'est pas entièrement déplaisant à voir. Et mon éruption ne me démange pas. La question est, évidemment, de savoir si elle continuera ou non à étendre
son emprise jusqu'à couvrir tout mon corps, ou si
elle se contentera d'avoir dévoré le centre érogène
renflé de ma vie physique.

*

Notre château blanc était orné de volets en bois
sur lesquels étaient peints des motifs triangulaires
ou en forme de voile violets ou bleus. Il y avait des
oies, les restes d'une douve, quelques cyprès et une
étable qui sentait l'ammoniaque, la paille et les
roses épanouies. La plupart des chaumières du village
arboraient les couleurs de notre famille sur leurs
volets et leurs portes par un reste de respect sentimental pour l'époque ancienne où le propriétaire du
château était aussi propriétaire du village. Nos tulipes,
cireuses et assez grosses pour remplir une main, fai-
saient la fierté de notre vieux cocher fumeur de pipe,
qui portait des guêtres de cuir été comme hiver et
conduisait un petit traîneau bleu attelé de chevaux
dans lequel j'ai souvent et joyeusement subi dans mon
enfance le froid hivernal. C'est dans ce traîneau,
enveloppé dans une couverture de fourrure et contemplant le dos de gnome du vieil homme et la neige
lisse qui scintillait au soleil, que, reniflant, essayant

de remuer mes pieds gelés, et effrayé par la vitesse
du poney qui nous tirait, j'ai eu la première éjaculation de mon enfance. Aujourd'hui il m'arrive d'entendre certains des airs que sifflait le vieux cocher
pour tenir le poney en alerte.

Quand j'arrive à éveiller mes souvenirs du passé
lointain, ce qui n'est pas fréquent, je suis capable de
le faire avec la précision d'un collectionneur de
timbres.

*

Je m'agrippai à la rambarde. Le vent me tenait
dans son étreinte. Le navire plongeait dans les vagues
comme un cargo abandonné. Le jour était sans
lumière, le bruit de la mer assourdissant. Et tout à
coup je sentis qu'il m'enserrait l'épaule et je sentis
sa bouche froide et mouillée près de mon oreille.

« On touche terre demain, Vanderveenan, cria-t-il,
la terre et les putains insulaires, Vanderveenan. En
abondance. Juste ce qu'il vous faut... »

Il s'écarta brusquement de moi et s'en alla en
trébuchant contre le vent. Et là, à la rambarde, les
jambes écartées, trempé par les embruns, je conti-
nuais d'entendre l'écho sans cesse répété de sa
jeune voix dure, tandis que l'après-midi s'éteignait
lentement, que les sillons entre les vagues se creu-
saient et que la mer devenait plus vaste, plus noire
et plus bruyante que tout ce que j'avais pu connaître.

J'attendais. Je léchais les embruns sur mes lèvres.
J'attendais. Dans l'obscurité et en passant je me rendis compte que l'orchestre du navire s'animait, faiblement, hors d'atteinte de la mer.

Je l'écoutai.

＊

Profondément enfoncé dans un des fauteuils de
cuir, les pieds posés sur un tabouret de cuir, une
demi-douzaine de volumes reliés par terre sur le tapis
à côté de moi et un volume de la même série calé
sur mes genoux, ainsi étais-je installé, totalement
absorbé mais m'exposant en même temps à la belle
lumière qui accompagne toujours la tombée du jour.
J'étais plongé dans mon luxueux volume. Ursula et
Peter étaient assis côte à côte sur le petit canapé de
cuir blanc à demi entouré par les plantes vertes
d'Ursula. Les plantes étaient florissantes et d'un vert
intense. Ursula écrivait une lettre, le bras de Peter
lui entourait la taille. Il avait les yeux fermés, la
main posée avec une évidente tendresse sur la
hanche d'Ursula. Dans la pièce, les derniers rayons
de soleil prenaient la couleur du tuyau de la pipe
de Peter.

« Allert », dit-il, sans ouvrir les yeux, « qu'est-
ce que tu lis ? Pourquoi es-tu si studieux ? »

Entendant le son de la voix de Peter et de la
plume d'Ursula, me disant que Peter avait parlé et
s'adressait aussi à moi, je jetai un coup d'œil par-
dessus mon grand volume à reliure de cuir vers le
canapé où Peter et Ursula étaient assis comme pour
un grand portrait photographique en noir et blanc.
Je souris pour montrer que, dans le silence de ma
concentration, j'avais entendu la question de Peter.
J'allais répondre quand Ursula, rédigeant toujours sa
lettre de sa plume noire rapide, parla avant moi et
à ma place. La neige s'était mise à tomber avant
l'aube, mais à présent le ciel qui s'assombrissait était

sans nuages et inondé d'une teinte d'or bruni. Derrière la fenêtre, la terre et les sapins et les bouleaux déjà revêtus d'une carapace gelée, accumulée durant d'autres tourmentes, s'étaient maintenant épaissis de plusieurs centimètres d'une poudre pure et impalpable de neige étincelante.

« Allert regarde sa pornographie, dit Ursula. Cela le rend toujours distrait. »

Peter avait la tête renversée en arrière et appuyée sur le cuir blanc bombé du dossier du canapé. Son visage souriant paraissait examiner le plafond. Il semblait inconscient du fait qu'il avait glissé ses doigts brunis sous la taille du pantalon collant d'Ursula. Il était assis bas sur le canapé, les jambes tendues devant lui et légèrement écartées, sans apparemment prêter la moindre attention à la sensation de la cuisse tiède d'Ursula contre la sienne. Ursula avait les jambes croisées, la cheville sur le genou comme un homme. Ce jour-là la pointe dorée de son stylo était précise et furieuse. Son pantalon serré avait le ton duveteux, chaud et sableux, d'une biche qu'on vient de tuer dans un vallon boisé.

— La pornographie, dit Peter, comme s'il rêvassait à part soi mais en s'adressant à moi, cela ne devient-il pas assommant, indiciblement assommant, mon ami ? Je t'en prie, sois franc. Je voudrais le savoir.

— Quelle chose horrifiante à dire à Allert, répliqua immédiatement Ursula, parlant de nouveau à ma place quoique toujours occupée à écrire : Au fond, Allert est alléché par n'importe quelle représentation sexuelle. Pour lui, à peu près tout ce qui représente une femme ou une forme féminine est pornographique.

— Alors, murmura Peter, après une courte pause méditative, alors ta collection pornographique est importante ?

— Le travail de toute une vie, répondit simplement Ursula. D'une vie entière.

— Et tu ne trouves pas cette collection assommante ?

— Pour toi et moi, dit Ursula rapidement, mais d'une voix conciliante et presque distraite, la pornographie d'Allert serait intolérable. Nous, nous ne filtrons pas la vie à travers l'imaginaire. Mais il en est autrement pour Allert. On ne peut l'arracher de l'image d'un bras nu, ne parlons pas d'une scène érotique complète et explicite.

Je posai le lourd volume à plat sur mes genoux. J'étais sensible au calme qui se lisait sur le large visage doux d'Ursula, dont la lumière dorée accentuait les ombres, légèrement baissé vers les feuilles de papier manuscrites posées sur la luxueuse revue de grand format étalée sur ses genoux, calme que je lisais également sur le visage sombre de Peter qui, souriant, faisait semblant de dormir, mais était tranquillement et confortablement réveillé. La lumière dorée, de plus en plus dense, harmonisait le visage doux et blanc avec ce visage ridé, foncé. Ursula avait changé de position et replié ses jambes sous elle, comme une adolescente, et elle portait un polo doux et serré en tricot de ma couleur préférée, le plus pâle de tous les tons de mauve. Même à la distance où j'étais assis je sentais l'odeur de sa peau, de ses vêtements, de ses cheveux, de son encre noire. Peter plongeait sa main dans le pantalon collant d'Ursula au-dessous de la taille et il n'avait jamais eu l'air plus à l'aise, plus chez lui.

« Mais l'intérêt que je prends à la pornographie n'est pas compulsif, dis-je alors. Il est, je crois, beaucoup moins compulsif qu'Ursula ne cherche à le faire paraître. Bien entendu cet intérêt pour toute la gamme de la sexualité illustrée est réel, tout à fait réel, comme elle le dit. »

Le stylo remua, il me sembla voir une certaine contraction au coin des yeux clos de mon ami, quoiqu'il continuât à sourire comme à l'adresse de quelque admiratrice dissimulée derrière la blancheur plane de notre plafond, et je remarquai alors les deux souliers d'Ursula sur le tapis, des souliers brun foncé vernis avec boucles argentées, et notai que, sans tourner la tête, Peter respirait nettement le parfum de son polo mauve avec lenteur et un immense plaisir.

« Si tu étais encore un enfant », dit-il alors, et comme s'il n'avait absolument pas entendu ce que je venais de déclarer, « ou si tu étais un de ces pauvres types qui passent leur temps à cacher sous leur oreiller la photo d'une affligeante femme nue, je le comprendrais. La pornographie a ses raisons d'être. Je ne suis pas psychiatre pour rien, mon ami. Mais l'intérêt que tu y prends me laisse perplexe. Et dis-moi, Allert », poursuivit-il en faisant un mouvevent apparemment inconscient de la pointe du pied contre son talon pour enlever ses chaussures qui, remarquai-je, étaient de celles qui n'ont pas de lacets, « dis-moi quelles sont tes préférences ? Je suppose que tu prends surtout plaisir à certaines poses et activités, que tu as tes genres favoris de pornographie ? »

« Des couples plutôt que des isolés », dit tout de suite Ursula d'une voix rapide, à la fois amusée et

sérieuse, « des Occidentaux plutôt que des Orien-
taux, des photos plutôt que des dessins, en noir et
blanc plutôt qu'en couleur, occasionnellement une
série de femmes sans hommes. Des textes modernes,
mais illustrés. Quant aux rapports femmes-animaux »,
dit-elle, souriant à Peter, recapuchonnant son stylo
et retirant la main de Peter de sous la ceinture de
son pantalon, puis se levant, repoussant sa lettre
terminée et tendant sa main vers la main tiède de
Peter, « dans une pareille situation, Allert préfère
les chiens. De gros chiens affectueux, mais à poils
ras. »

Cette observation les fit rire tous deux tandis que
Peter levait le bras pour prendre la main tendue
d'Ursula, tout en gardant les yeux fermement clos,
et qu'Ursula choisissait ce moment pour me lancer
par-dessus son épaule un regard à la fois bienveillant, me sembla-t-il, et absent. Manifestement elle
pressait la main et le bras de Peter, tandis que lui,
sans exactement résister à cette pression, conservait
néanmoins la pose qu'il avait prise durant tout
l'après-midi — la tête en arrière, les yeux fermés,
les jambes étendues et légèrement écartées. A cet
instant je me découvris en train d'admirer son pantalon tête-de-nègre et sa chemise jaune, assurément
bien accordés au pantalon beige et au polo mauve
d'Ursula. Les plantes vertes d'Ursula, d'une nuance
si fraîche et délicate et si intensément vertes, les
encadraient comme une minuscule charmille que
la lumière décroissante rendait de plus en plus
romantique.

— Des chiens, dit enfin Peter, alors que je me
penchais vers le groupe qu'ils formaient tous deux,

des chiens à poils ras. Et les homosexuels ? N'accordes-tu pas une place aux homosexuels ?

— Allert, répondit sur-le-champ Ursula, ne s'intéresse pas aux homosexuels. A moins qu'il ne s'agisse de femmes.

— Ce qui pose évidemment la question de savoir si nous pouvons ou non nous fier à notre goût. Peut-être le goût est-il trompeur. Peut-être n'as-tu pas donné aux partenaires de même sexe une chance égale.

— En ces matières, répliqua immédiatement Ursula, Allert a tendance à être très intransigeant.

— Alors il est bien vrai, mon ami, que tu ne penses qu'à la sexualité ?

— A rien d'autre, dit vite Ursula avec un rire d'une curieuse douceur à mon intention, absolument à rien d'autre !

— Ah, mais tu exagères, dis-je encore, interrompant leur dialogue personnel, répliquant d'un sourire au sourire provocant d'Ursula et remarquant les deux paires de souliers vides astiqués et brillants sur le tapis blanc. La vérité est que je me consacre assez rarement à ma collection, qui est excellente, s'il m'est permis de le dire. Je te la montrerais volontiers, Peter. Avec plaisir.

Ce n'est pas ma proposition qui le fit rire, ouvrir les yeux, répondre vigoureusement à la traction énergique de la main d'Ursula et se lever enfin, bâiller, essuyer de la main son visage tanné et baisser les yeux sur moi de nouveau à demi allongé dans mon fauteuil, le livre ouvert me couvrant le ventre comme une tente, quoiqu'il eût fait tout cela au moment même où je parlais.

— Mais pourquoi, mon ami, dis-moi pourquoi ?

Pourquoi cet intérêt pour les combinaisons sexuelles des autres gens ? Te font-elles bander ? T'amusent-elles ? Mais mon ami, elles ne sont même pas réelles.

— La thèse d'Allert, dit Ursula durant la longue pause pendant laquelle Peter et elle restèrent debout à me regarder, la main dans la main, tête contre tête, épaule contre épaule, Ursula pieds nus et Allert en chaussettes, écartant de leurs pieds les souliers vides, la thèse d'Allert est que l'homme moyen ne devient artiste que dans l'exercice de la sexualité. Et dans ce cas la pornographie est le champ authentique de son imagination.

— Bravo, bravo, s'écria Peter, tout cela est parfaitement raisonné. Mais Ursula, dit-il alors en se retournant et en la regardant sévèrement avec une fureur feinte, pourquoi ne laisses-tu pas Allert répondre lui-même. C'est une habitude qu'il faut perdre immédiatement.

— Mais Peter, dit-elle de sa voix la plus douce, en souriant et en entraînant Peter vers la porte et vers l'escalier, Allert peut toujours répondre lui-même quand il le désire.

Soigneusement, je posai le volume, un des plus précieux de ma collection, parmi les autres disposés comme des monuments écroulés sur les poils soyeux du tapis gris. Dans la pièce, la lumière était maintenant d'un or si sombre qu'on y voyait difficilement et que je ne pouvais lire l'écriture hardie d'Ursula ni distinguer les traces laissées par leurs pas d'amants dans l'épaisseur du tapis. Les feuilles des plantes d'Ursula étaient acérées et noires, la maison était tranquille.

Dehors, où je demeurai fort longtemps sans mon chandail ni ma toque doublée de laine, la lumière

d'or sombre diffusait dans l'air glacé la splendeur
de la fin du jour et de l'approche de la nuit, et les
oies qui, de leur poste d'observation pourtant lointain à la lisière de la forêt, s'étaient aperçues de ma
présence et avaient parcouru en se dandinant toute
cette longue distance dans un délire d'ingénuité et
de cris discordants, furent ravies d'exécuter leur
danse dandinante en l'honneur des savoureuses miettes
de pain que je leur lançai maintes et maintes fois
sur la neige dorée. Même dans le noir je continuai
à errer parmi elles. Je sentais le froid au fond de mes
poumons, je lançais les poignées de miettes rassises
et de bouts de pain à la ronde aussi loin que je le
pouvais. Et là dans l'obscurité glacée, combien de
temps les pauvres oies attendirent-elles mon retour ?

Quand enfin je rentrai dans la maison, traversant
à tâtons la grande cuisine sans lumière et l'antichambre pour me retrouver dans la pièce centrale
où je comptais reprendre ma lecture, comme l'appelait Peter, je trouvai celui-ci installé dans mon fauteuil sous la lumière éclatante de ma lampe de
métal chromé, mon volume le plus rare posé sur
les genoux. A part ce personnage assis en pleine
lumière qui semblait en cire, la pièce était aussi
sombre que d'habitude au cœur d'une nuit d'hiver.
La maison était silencieuse.

Peter leva les yeux du livre ouvert. Il ne sourit
pas. Il était toujours en chaussettes, sans souliers.

« Ta collection est excellente, dit-il. Excellente. »

*

« Mais un homme sans mémoire, un homme qui
ne se rappelle même pas la date de naissance de sa

propre femme, est tout simplement un homme sans identité. N'est-ce pas Peter ? Et Allert ne se rappelle rien, rien. Pas même ma date de naissance. »

Peter soupira, je donnai une expression de tristesse excessive à mes lèvres rebondies, comme les qualifiait Ursula quand elle était d'humeur chagrine, et celle-ci répéta qu'elle parlait sérieusement et que je n'avais pas d'identité. Puis elle se mit à marcher devant nous, les cheveux flottants et les mains sur ses larges cuisses.

« Mais Ursula, lui cria Peter, pourquoi faut-il qu'Allert ait une identité ? S'il est gentil avec toi, n'est-ce pas suffisant ? Mais bien entendu, le seul problème est que l'identité d'Allert, qui est en fait indéniable, ne te plaît pas.

— Je me souviens de plus de choses qu'elle ne le croit, murmurai-je alors. Mais je suis sans doute trop vieux pour elle. Que puis-je faire ?

— Je n'ai aucune idée, mon ami. Mais tu devrais te souvenir que nous avons, toi et moi, le même âge et que je ne suis nullement trop vieux pour Ursula.

A ce moment, ma boudeuse épouse marchait sur la demi-pointe de ses pieds nus vers le soleil. Peter chantonnait tout bas.

Je commençais à douter de mon identité. Mais il me restait mon amour-propre, nullement amoindri, lui.

*

« Maintenant, mes amis », cria Peter de la crête de la colline verdoyante, « maintenant, nous allons préparer notre festin de Neptune ! »

Les bouleaux avaient l'air sveltes et juvéniles dans

la lumière du soir, le flanc de la colline était emmitouflé dans des feuillages verts, les oiseaux des bois chantaient pour les poissons de la mer, l'odeur des fleurs au-delà de la colline se mêlait à celle des crabes morts à nos pieds. Et Peter descendait le sentier vêtu de son maillot de corps et d'une culotte de sport et chargé d'un réchaud à charbon de bois qu'il portait laborieusement mais avec un plaisir évident. A son épaule pendait une paire de longues bottes cuissardes attachées ensemble par une courroie de caoutchouc qui servait à les porter et raccommodées çà et là avec des pièces rouges. Il débordait d'activité, il avait les mollets bombés, le visage humide. Il dévalait la pente.

— Mais Peter, dis-je, pourquoi ne me laisses-tu pas t'aider ?

— Ce n'est rien, rien. C'est tout ce qui reste. On peut commencer. Mais d'ailleurs mon ami, dit-il, laissant tomber les bottes, et hissant le réchaud de fonte au sommet du grand rocher noir où il avait l'intention de cuire le repas, c'est toi qui vas faire le plus dur. D'accord ?

— Ce sera un plaisir pour moi, dis-je, comme toujours.

— Oui, tu as joui de ton moment de repos — que tu as passé assis sur la couverture avec ta femme — tandis que moi je n'ai pas de femme. Mais nous allons tous deux préparer notre repas pour Ursula, pour la déesse.

— Eh bien, comme tu le vois, dis-je, elle est habillée pour la circonstance.

Nous nous retournâmes, Peter et moi, d'un même mouvement pour sourire approbativement à Ursula, assise sur une couverture bleue dans un grand espace débarrassé de cailloux. Un serpentin de varech doré était pointé vers ses pieds nus, elle portait un vêtement jaune tout simple qui lui tombait jusqu'à la cheville, était sans manches et révélait sous sa transparence avec une netteté préméditée tous les détails de son corps épais mais bien proportionné.

— Tu vois, dis-je, elle a sa chemise de nuit jaune. Elle essaye de nous provoquer, Peter.

— Superbe, dit-il, superbe ! C'est une robe de déesse.

Nous nous appuyâmes contre le rocher noir qui ressemblait à un petit bateau à vapeur échoué. Nous sourîmes à Ursula qui s'arc-boutant sur ses bras séduisants se redressait sur la couverture violacée.

— Je vous en prie, dit-elle en souriant, ne vous moquez pas de moi. Ni l'un ni l'autre.

— Jamais, jamais, s'écria Peter. Nous allons simplement t'enivrer et t'offrir un moment de romantisme, ici sur ma plage rocheuse ! Mais il nous faut d'abord un petit festin de Neptune. Tu es d'accord, ma chérie ?

En réponse, Ursula se contenta de renverser la tête en arrière, d'étendre les jambes, de cambrer le dos, d'écarter largement les mains, et de fermer les yeux. Réservée, indifférente, paisible, prête, elle était devenue dans sa quasi-nudité la naïade, manifestement satisfaite et dispose, de la crique de Peter. Elle qui était perpétuellement moite se trouvait à présent allongée dans toute sa chaude langueur. Lentement elle déplaça ses cuisses nues et laissa tomber sa tête plus loin en arrière, exhibant encore plus la courbe généreuse de sa gorge nue.

« Mais en attendant, Peter, je peux boire du vin glacé, n'est-ce pas ? »

Il avait déjà fait trois voyages de la maison à la crique, interrompant une fois un long baiser que nous nous donnions Ursula et moi sur la couverture, et avait maintenant accumulé tout ce dont nous avions besoin pour notre repas. Six bouteilles de vin blanc au frais dans un énorme récipient d'acier plein de grandes plaques de glace, plusieurs tire-bouchons, du beurre, des herbes et de l'huile d'olive, des cuillères en bois, des couteaux aiguisés et de l'argenterie, des dessous de plats et une nappe blanche pliée et le réchaud de fonte plein de combustible à présent enflammé et rougeoyant — tout cela il l'avait disposé sur le rocher naufragé et aux alentours, de sorte qu'il put en un clin d'œil mettre dans la main d'Ursula le verre de cristal plein de vin blanc glacé qu'elle avait demandé. Elle le prit sans ouvrir les yeux. Il se retourna, s'accroupit, agita une des cuillères de bois au-dessus de son déploiement de lyrisme culinaire étalé au bord de la mer.

« Allert, dit-il, commençons. »

Mais le rite m'était familier et j'avais déjà enfilé des bottes de caoutchouc, qui étaient trop petites pour moi, pour entrer dans le courant froid jusqu'à la hauteur des genoux. La journée était tiède, la mer plus froide que le vin d'Ursula. Quelque part un chien aboyait, tandis qu'au-dessus de ma tête une énorme mouette blanche méticuleusement propre et étincelante décrivait des cercles. Un grand seau rouillé à la main, les jambes remuant avec raideur dans le courant et plié presque en deux, j'avançais comme une énorme grue de chair. Plongeant le bras jusqu'à l'épaule, j'arrachais à pleines poignées de grosses moules boueuses collées les unes aux autres par touffes. Oui, la crique de Peter était connue pour l'excellence de ses moules qui prenaient leur taille adulte à l'intérieur de grandes écailles dures bleues et noires. Maintenant, de ma démarche maladroite, je traversais un banc de moules grand comme un jardin potager. Je sentais, sous les semelles de mes bottes en caoutchouc, les grappes serrées d'écailles en forme de barques et, progressant à contre-courant d'un pas vacillant, enfonçant mon bras rouge et ruisselant, j'avais la sensation de marcher sur les os et les écailles du cimetière de la terre sous la mer. Je respirais profondément, les grappes de moules couvertes de boue tombaient avec fracas dans mon seau lavé à l'eau de mer. J'allais et venais, l'œil au niveau de l'horizon, frappé de temps à autre par une vague à la cuisse, au coude, à la joue et même à la poitrine, traversant et retraversant le banc dur et vivant sous les flots pour remonter enfin sur la plage trempé, gelé, rouge du plaisir de cet exploit, et portant l'énorme seau croûteux dans lequel on n'aurait pu faire tenir une moule de plus. Je frémissais tout entier d'émerger en moissonneur balourd et mouillé de ce que Peter appelait « notre festin de Neptune ».

Sur le bord sombre de la plage je nettoyai les moules. Assis sur les rochers, mouillant le fond de mon pantalon, je brossai chaque écaille, regardai partir la boue, polis chaque écaille avec la vieille brosse à chiendent, et, goûtant le sel sur mes lèvres et humant la lumière d'été dans l'air je pris conscience une fois de plus de l'affinité qu'a normalement tout Hollandais vigoureux d'un certain âge avec la mer mouvante. Derrière moi Peter surveillait les braises incandescentes, je commençais à me sentir grisé par le vin glacé du verre d'Ursula.

Quelle fut la durée du festin ? Des heures, me sembla-t-il, un cadeau du temps. Presque immédiatement je bus à moi seul tout le contenu d'une des bouteilles sans en avoir eu l'intention. Je savourai quelques cigares. Une fois, pendant que la grande marmite bleue fumait sur les braises blanchissantes, Ursula me demanda une main, se mit debout et, chancelante mais rieuse, marcha vers Peter tout entouré de vapeur et l'embrassa, tandis que Peter posait sa cuillère de bois, levait les mains derrière le dos d'Ursula et soulevait sa jupe jaune jusqu'à ce que l'arrière en soit retroussé au creux de son dos tandis que le devant frôlait toujours ses chevilles. Dans cette position Peter caressa la nudité d'Ursula jusqu'à ce que celle-ci retourne à la couverture et lui, débordant de la meilleure des humeurs, à la préparation du repas.

Il ébouillanta les moules, les assaisonna, j'entendis le cliquetis d'un fouet métallique, je sentis un arôme de marée froide et d'herbes aromatiques, et la journée commença à se dissoudre dans le beurre, le vin, la vapeur, les rires, le vacarme de la marmite bleue abandonnée qui roulait du haut des rochers, le chuintement de la braise, la gerbe de lumière produite par le vin qui tombait en arc du goulot d'une bouteille débouchée dans un verre tendu. Ensemble, assis sur la couverture bleue, nous trempions chaque coque ouverte dans les petits bols de beurre fondu, engloutissions les moules dorées et nous léchions les doigts, nous barbouillant les joues de beurre succulent, jetant les écailles vides et, de temps à autre, une moule limpide ou un bout de pain à la mouette blanche postée sur un rocher voisin comme le quatrième personnage de notre groupe.

Minute par minute le jour se dissolvait en ombres brillantes. Ursula tint à nous nourrir, d'abord Peter, puis moi, prenant une moule glissante entre le pouce et les deux premiers doigts et la fourrant contre nos lèvres et dans nos bouches prêtes. Les moules étaient douces et avaient la saveur des profondeurs de la mer. Peter fit observer qu'elles étaient ovoïdes. La mouette se promenait au sommet du rocher naufragé parmi des gousses d'ail, des bernacles écrasées, des fragments de fer rouillé, des grains de poivre. Au-dessous d'elle nous étions étendus dans le sillage de nos propres détritus. « Et mon heure romantique, Peter ? Est-ce tout ce qu'on va m'offrir ? »

Ursula était couchée sur le dos, les bras souplement levés comme ceux d'une danseuse. Elle avait un genou plié, le bas de sa jupe jaune, relevé, couvrait à peine les ombres pubiennes. Elle avait les yeux ouverts et son ventre me parut d'une rondeur tentante, due sans doute à notre abondant repas. Peter avait apporté des chocolats qu'elle avait mangés, en sus de tout le reste.

« Peter ? Est-ce tout ? »

Je me penchai en avant pour essuyer avec mon mouchoir une grande tache de gras sur la joue d'Ursula. La mouette était immobile, elle avait cessé de se promener avec une dignité raide en haut du rocher. En se roulant sur lui-même, Peter se mit à genoux et déboucla sa ceinture. Je souris et me levai.

« Allert », dit alors Ursula, « où vas-tu ? Ne nous laisse pas. Je désire que tu restes. »

Je baissai la tête pour lui adresser un sourire. Par terre la tendre partie inférieure de son corps remuait déjà, quoique Peter n'eût pas encore retiré son short et que ce ne fût pas lui mais moi qu'elle regardait.

« J'ai un besoin à satisfaire », dis-je avec mon accent le plus marqué. « Mais je ne serai pas loin. Et je reviendrai vite. D'ailleurs », ajoutai-je en me préparant à poser les pieds prudemment entre les cailloux, « j'ai déjà assisté à cette scène un bon nombre de fois, ma chérie. N'est-ce pas ? »

« Mais tu aimes cela, Allert. Je le sais. »

En effet, d'habitude j'aimais cela. Mais pour le moment je ne m'intéressais qu'à l'étroit sentier dévoré de soleil qui longeait les bouleaux puis les traversait et un instant plus tard je montais ce sentier d'un pas lent et dégagé, bien que parfois interrompu par quelques légères titubations. Ma pudeur amusait toujours Peter et Ursula, mais je ne pouvais que suivre mon inclination personnelle et me retirer de temps en temps dans un coin sombre, un réduit de vertes fougères. Donc, arrivé à mi-colline, je me soulageai, regardai l'île qui s'était jadis détachée du rivage de Peter, puis je m'allongeai, roulai sur le côté et m'assoupis. Quand je repris conscience, assis le dos appuyé contre un des bouleaux penchés, je me souvins clairement d'avoir fait un rêve bref et concis où Ursula dénudait ses seins à une réception. C'était un rêve fugitif qui ne méritait pas de lui être raconté.

En revenant à la scène de notre repas, scène à présent plongée dans l'ombre la plus tiède, je trouvai Ursula couchée au milieu de la nappe blanche et Peter assis en tailleur en haut du rocher noir. Le vêtement jaune d'Ursula lui servait d'oreiller, Peter était nu, avait les yeux fermés et tenait sur ses genoux, couverte de buée et non débouchée, une des bouteilles de vin glacé. La mouette était perchée avec un air de défi sur le short de sport dont il s'était dépouillé. Ursula avait également les yeux fermés et tous deux souriaient.

« Allons », dis-je doucement, « laisse-moi déboucher le vin. »

Une sorte de compréhension télépathique se propagea comme une onde du haut en bas du flanc nu de Peter et avec effort il leva le bras pour me tendre la bouteille. Je la débouchai et, remplissant un verre maintes fois utilisé, je plaçai avec précaution ce verre plein à ras bord dans la main inerte de Peter. Il hocha la tête. Il n'ouvrit pas les yeux.

« Bois, Peter, dis-je. La fête n'est pas terminée. »

Il hocha la tête, il n'esquissa pas le moindre mouvement pour porter le verre de ses cuisses à ses lèvres. Haussant les épaules, j'ôtai donc ma chemise et mon pantalon et je tirai quelques bouffées d'un de mes petits cigares, restant debout pendant ces quelques instants, l'avant-bras appuyé au creux de mon dos, un pied levé posé sur un bloc de quartz et les yeux baissés sur Ursula. Puis je jetai le cigare, offusquant au passage l'audacieuse mouette, et me dirigeai vers la couverture.

Plus tard, beaucoup plus tard, Ursula m'écarta de ses mains rudes mais aimantes. Nous restâmes allongés sur le dos, côte à côte. Je sentais l'odeur du serpent d'algue doré, sans regarder je savais que les petites îles noires s'entrechoquaient et avançaient dans notre direction.

« J'ai mal », murmura-t-elle en glissant la robe de nuit froissée entre ses jambes. « A cause de mes deux égoïstes amis j'ai mal au-dedans de moi. »

Mais elle souriait. Un instant plus tard, quand

Peter m'appela, je m'appuyai sur les coudes, je levai la tête et les épaules et je vis qu'il avait les yeux ouverts et pleins de lumière.

— Allert, cria-t-il, je te le dis, tes organes sexuels me font penser à la coquille de l'armure d'un roi d'Angleterre particulièrement bien pourvu. Que penses-tu de ce compliment, mon ami ?

— Je croyais que tu dormais, répondis-je. Je ne savais pas que tu nous regardais.

— Mais si, bien sûr, répondit-il en levant son verre, bien sûr que je regardais.

Pour notre retour à la maison, Peter se drapa dans la nappe blanche sur laquelle nous avions festoyé. Moins de dix jours plus tard, Ursula, sur une impulsion des plus cruelles, combinait mon voyage.

✳

Nous passons la plus grande partie de notre existence à essayer par des détails de connaître un autre être. Et nous espérons qu'un autre prendra la peine de fureter dans nos coins les plus obscurs, sans gêne ni réprobation. Nous espérons même arriver à nous entrevoir nous-même et à mener cette recherche furtive avec courage. Mais sur le point de réussir, juste au moment où nous semblons le plus près d'un éclair de compréhension, même minime et sans grande portée, voilà que les yeux se ferment, la tête se détourne, la voix s'éteint, l'océan lumineux devient une surface de plomb et, de la forme même que nous savons être la nôtre, surgit une ombre semblable à une chauve-souris de taille humaine qui fuit ou qui prend son élan pour foncer sur nous et nous chasser. Qui est en sécurité ? Qui sait ce

qu'il fera la minute suivante ? Qui a le courage de
faire indéfiniment connaissance avec les diverses
ombres étrangères parmi lesquelles figurent femme,
maîtresse ou ami ? Qui est capable d'affronter les
plaies de son esprit dans la vitre transparente ? Qui
sait même où il se trouve ou peut se trouver un
moment plus tard ? Qui peut se fier à la fumée de la
longue pipe de terre, à la bière dans la chope ?

Qui donc est en sécurité ? Je voudrais avoir connu
ma femme et mon ami. Je voudrais qu'ils m'aient
connu. Je voudrais que nous n'ayons été que de
sombres silhouettes dans un cadre d'argent. Comme
un enfant je voudrais que nous nous soyons trouvés
réciproquement tolérables. Autrefois j'aurais voulu
pouvoir fendre Peter en deux le long du dos et écarter les deux moitiés comme si c'était celles d'un
mannequin vide pour me glisser à l'intérieur. Si
j'avais pu réaliser ce fantasme quand je le souhaitais,
je serais mort aujourd'hui. Toutes mes conjectures,
tels des fils phosphorescents rêveusement dispersés
dans une nuit froide, auraient pris fin.

Qui est en sécurité ?

*

Dans mes bras elle était comme une enfant renversée par une auto. Ensemble dans le noir nous
chancelions sur le pont comme si je venais de l'arracher d'une épave en haute mer. Je la tenais allongée dans mes bras. Elle avait les yeux vitreux, elle
refusait de parler. La casquette blanche d'officier
venait seulement de lui tomber de la tête, sur son
corps nu la vareuse blanche s'ouvrait, semblable au
dernier vestige d'un étrange costume de mascarade,

ce qu'elle était effectivement. Elle était inerte mais m'observait, malgré ses yeux vitreux, et elle refusait de parler. La lune était une traînée de graisse dans le ciel nocturne. Je ne sentais pas son poids dans mes bras. J'entendis un cri. Je me retournai. J'entendis un floc. Le pont était une dure croûte de sel. La nuit était froide. J'entendis le floc. Je ne sentais pas son poids. Puis tout le long de cet affreux navire, je vis les lumières glisser et se brouiller sous les vagues. Maladroitement, comme un fou, je luttai avec un anneau blanc où était inscrit le nom du bateau et qui refusait de se détacher. Je vis la silhouette illuminée du navire s'estomper sous les vagues.

Qui est en sécurité ?

*

« Regardez, s'écria le commissaire, ce cheval a deux croupes et six pattes. Allons-nous donner le prix à cet heureux monstre ? »

La foule qui s'entassait à minuit dans le salon, dansant et s'entortillant dans des nuages de confettis et de serpentins de papier de couleurs vives, poussa une acclamation affirmative en plusieurs langues. Je reconnus avec aversion le commissaire saoul, dans mes bras ma petite partenaire portait son bikini, la casquette blanche d'officier audacieusement penchée et, les manches roulées jusqu'à ses poignets fragiles, la vareuse blanche réglementaire avec ses boutons dorés et son éclair sur le col. Son petit visage bronzé ressemblait à celui d'une enfant. La piste de danse était inondée de gin. Ma partenaire jouait le rôle d'un opérateur-radio tandis que moi (avec aversion,

avec gravité, avec gêne) je jouais celui d'un bourgeois
d'Amsterdam mastoc et conscient de sa classe. J'avais
envie de glisser mes mains mouillées sous la vareuse.

« Allert », s'écria-t-elle me traînant à l'écart de
la foule où le commissaire passait une couronne de
fleurs de guingois autour du cou du cheval, « regarde,
c'est Olaf. »

Il était là debout, tenant à présent la tête du
cheval dans ses bras, l'air hilare. Et il y avait là
aussi, bien en vue, la batteuse et la saxophoniste du
navire, deux femmes vulgaires et hilares dégagées
à présent de la double croupe ouverte du cheval
difforme. Quelque temps encore, elles montrèrent
comment elles s'étaient accroupies et avaient ondoyé
et dansé, une femme osseuse formant chaque croupe.
Sur l'injonction du commissaire, l'opérateur-radio,
portant maintenant la couronne de fleurs autour
de son cou nu, les embrassa avec la générosité de
l'ivresse. La foule acclama, ma partenaire applaudit,
le joueur de vibraphone barbouilla de sang coagulé
son instrument argenté.

« Embrasse-moi, Allert », chuchota-t-elle en es-
suyant mon front et en redressant ma cravate. « Je
m'amuse tant à cette fête. Je veux que tu m'embrasses.
Ici même. Tout de suite. »

Qui est en sécurité ?

*

Quand les plongeurs descendront ouvrir cet infor-
tuné navire, pensai-je, ils trouveront tous les passagers ivres empaquetés dans des confettis et des serpentins de papier enchevêtrés comme des arcs-en-
ciel morts. Le navire sera rouillé, mais les passagers

seront toujours serrés les uns contre les autres dans
une joie silencieuse. Ils seront tous conservés dans
du varech, des algues et du papier de couleurs vives
— conglomérat dense et gorgé d'eau qui sera au
navire coulé ce qu'est la moelle à un os cassé.

Qui est en sécurité ?

*

J'estime maintenant sans le moindre doute que
je suis, moi, vieil Hollandais dépossédé du gouver-
nail, la preuve vivante de toutes les théories de
Peter. Ou de presque toutes. Oui, je me dis que je
suis l'héritage de mon ami qui était l'amant de ma
femme, notre psychiatre. Oui je suis l'unique héritage de ce mort. Mais un héritage indésiré, dis-je,
me reprenant soudain, un héritage *indésiré*. De mon
ami Peter, mais aussi des femmes que j'ai connues.

Dans l'obscurité je suis leur héritage tout entier,
l'ignoble sac de leur passé et du mien. Et indésiré
jusqu'à la dernière goutte.

*

« Les plaintes d'Ursula ne signifient rien, disait
Peter, absolument rien. Il ne faut pas y faire attention. La plupart des femmes se plaignent de leur
mari. D'ailleurs, mon ami, si tu n'avais pas des réac-
tions émotives aussi bizarres, tu ne plairais absolument pas à Ursula. Paradoxe curieux, mais vrai. Et
tu remarqueras », dit-il en me souriant, le vent dans
la figure, « tu remarqueras que je n'ai pas dit
« malade », mais seulement bizarre. Je ne te fou-
trai pas d'étiquette, pour parler vulgairement, tant

que tu ne me demanderas pas de le faire à titre professionnel. »

Ses longs doigts bruns continuèrent à bourrer de brins de tabac le petit fourneau blanc de sa pipe, le soleil n'était qu'un rayon froid dans un ciel sombre, le sourire de Peter allait mal à ses traits marqués et à son air sardonique mais semblait emprunté à quelque petite figure, sculptée toute en rondeur, d'un cupidon malicieux. Il continua à bourrer la pipe blanche. Je retirai les cartouches de mon fusil.

« Mais ce qui est si merveilleux et si difficile à croire », dit alors Peter dans le vent clair et cinglant, « c'est qu'elle tient autant à chacun de nous deux. Pour elle, tout ce qui nous différencie n'est rien. Et quelle remarquable faculté elle a de considérer comme également acceptables deux hommes aussi différents. Elle a le don de l'amour, mon ami. Le don de l'amour. »

Abritée au creux de ses deux mains brunes et osseuses, la flamme de l'allumette était pâle à côté du rouge intense de sa chemise de chasseur. Puis, la pipe une fois allumée, l'un à côté de l'autre, pensant à Ursula chacun à sa façon nous nous dirigeâmes vers la maison.

*

D'un soubresaut en avant il se leva du banc. Dans la chaleur sèche et désespérante où nous reposions tous les trois comme dans un rêve, nus, blancs et à l'aise, soudain Peter d'un soubresaut se leva du banc et, dans un silence absolu, porta la main à sa poitrine et regarda autour de lui avec des yeux pleins de la joie d'une douleur extrême. Sa poitrine était un réseau d'os minces, chaque filament hérissé de sa toison pubienne avait l'air électrifié, ses bras et ses jambes blancs étaient longs et étrangement musclés, ses mamelles sombres, son bas-ventre était un nid de veines bleues.

« Peter », dit Ursula inquiète, « qu'y a-t-il ? Qu'est-ce qui ne va pas ? »

Sa phrase fut la dernière prononcée à partir de cet instant dans le sauna. Et cependant durant tous les terribles moments qui suivirent, où Peter mima sa mort et Ursula et moi notre impuissance, durant tous ces moments, qui à l'horloge comptaient pour rien, j'ai entendu la voix de Peter (enjouée, hautaine, confidentielle) dans ma tête. Pendant que nous regardions, bougions, tentions de l'aider et tandis qu'il vacillait et chancelait dans le petit cercle de sa mort, j'ai cru entendre chacun des mots qu'il avait prononcés, et je ne savais pas ce qui était pire, la lutte brève et muette que nous menions là dans le sauna ou la confiance et le flot ininterrompu de cette voix silencieuse. Il était là à parler inlassablement au moment de sa propre et douloureuse mort (un accident cardiaque, ai-je tout de suite compris) et sur un ton claironnant comme s'il ignorait totalement les raisonnements, déclarations, façons de parler propres à l'âge mûr. Il continua même de me parler une fois étendu mort par terre. Je ne pouvais pas supporter de l'écouter.

Quand il tomba, cet homme si grand, d'une blancheur humide de poisson, je ne le reconnus plus, j'entendis son nez se briser sur les lattes. Il resta couché sur le ventre à tressauter et à essayer de suivre en rampant la traînée de sang écarlate qui coulait de son nez. Un instant auparavant, sous le

choc et par ignorance, je l'avais attrapé par le bras
pour tenter de le maintenir debout. Mais en s'écrou-
lant il échappa à mon étreinte. Maintenant nous
entendions le son même de la douleur à l'intérieur de
sa poitrine.

Ursula était à genoux près de sa tête, le visage
contracté, les seins agités chaotiquement, le souffle
lourd, et elle était parvenue je ne sais comment à lui
soulever la tête et tenait à présent cette tête sangui-
nolente dans ses deux mains. Moi aussi j'étais
accroupi près de sa taille, un genou levé, l'autre
brûlant sur les lattes de bois et j'entendais le faible
craquement des vaisseaux en train de se déchirer dans
la poitrine de Peter.

Son corps paraissait fait de graisse desséchée et
de cartilage. Il ressemblait à un écorché. Il était
encore agité de frémissements. Et puis cette effroyable
agitation cessa. Il était mort.

Et puis il déféqua. Oui, alors même qu'Ursula
berçait sa tête et essayait d'apaiser son visage
contracté, alors même qu'agenouillé, impuissant, à
côté de lui, j'écoutais la voix silencieuse de mon
ami, tout à coup Ursula et moi nous perçûmes simul-
tanément ce qui s'était passé et ensemble nous
contemplâmes avec stupeur et peine cette ultime indi-
gnité.

Il était mort. L'odeur était forte. Nous étions para-
lysés. Nous ne savions que faire. L'odeur fécale de
la mort de Peter dominait peu à peu l'odeur d'eucalyptus qui emplissait la petite pièce. Je me disais que
nous allions bientôt mourir, Ursula et moi, comme
Peter, là dans la chaleur. Mais je ne pouvais laisser
le corps de mon ami souillé, cela du moins je le
savais.

Au bout d'un moment, la persistance de cette idée me fit agir, et, utilisant ma main ouverte comme une pelle, je ramassai lentement l'atroce et offensant excrément du corps de Peter. Et, portant dans ma main le dernier témoignage de la vie de Peter, je parvins à me mettre debout, à ouvrir grande la porte et à arriver en trébuchant jusqu'au bord de la mer froide et saumâtre.

Remontant en toute hâte le sentier vers la maison et le téléphone, nu et trébuchant et fou à ma façon, je pensais que ma main allait rester tachée à jamais par la mort de mon ami.

Un peu plus tard, et après avoir donné l'inutile coup de téléphone, je fus rejoint dans la maison par Ursula, qui, enveloppée dans une serviette, me regarda avec une expression de terreur et de fureur et s'effondra dans mes bras.

*

Ils pêchèrent une jeune pieuvre déjà morte qu'ils rapportèrent à bord. La mer se déplaçait régulièrement derrière mon hublot comme si quelqu'un avait enfin découvert notre destination. Un marin suspendit la jeune pieuvre à l'extérieur de ma porte. Le mouvement de la mer qui défilait était plus rapide qu'il ne l'avait jamais été au cours de notre voyage. La mer était sombre, le ciel propice aux vacances. J'entendais le susurrement de quelques femmes dodues qui continuaient à jouer sur le pont à un jeu avec des crosses et des palets. A présent nous faisions route vers une destination. Le ciel impartial était frais, lumineux. Mais ils me dirent que j'étais consigné dans ma cabine, comme si j'étais un officier et non

un simple passager et que j'étais accusé d'un crime.
Ils me dirent que l'opérateur-radio avait été relevé de
son service et qu'on lui avait administré des calmants. Ils me dirent qu'ils avaient passé toute la
journée à fouiller le bateau de fond en comble, de
la proue à la poupe. Mais en vain. Ils avaient regardé
dans les cabines, les canots de sauvetage, la chambre
des machines, les coursives, les soutes, la cabine de
la radio, les crevasses entre les volants des énormes
machines. Mais en vain.

Le commissaire était assis sur une chaise de bois
devant ma porte. Son pantalon était repassé de frais.
Nous n'étions qu'une poussière dans l'empire de
cette mer sombre. Le commissaire faisait remarquer
aux passagers qui se promenaient par là la jeune
pieuvre blanche oscillant au bout de sa ficelle.

Ils m'assurèrent que les recherches continuaient.

*

Les îles devenaient plus nombreuses. Elles étaient
petites et dorées, chacune sphère d'exploration éclatante et parfaite. Mais j'étais consigné et lui engourdi
par une forte dose de calmants.

Même de l'intérieur de ma cabine j'entendais les
rumeurs. Et quelques femmes dodues avec des crosses
de bois et des palets.

*

« Allert », dit-elle doucement dans mon dos, « tu
n'as pas besoin de laver mes slips. Tu es toujours
gentil pour moi. Mais tu ne devrais pas prendre la
peine de passer mes slips à l'eau.

« Ce n'est rien », dis-je, et je sentais vivre le

navire dans la plante de mes pieds nus. « C'est une tâche à laquelle je ne suis pas habitué et qui me plaît. Mais quand même, si toi tu repasses les vêtements de l'équipage, il est d'une certaine façon logique que je passe tes slips à l'eau. »

Assise comme elle l'était tout au bout de sa couchette chiffonnée, menue, indifférente à l'heure qu'il était, Ariane n'était pas dans le champ du petit miroir au-dessus du lavabo de porcelaine. Chaque fois que je levais les yeux du lavabo mousseux pour regarder dans le miroir je voyais le désordre familier de la petite cabine et j'avais même une magnifique vue réfléchie du hublot ouvert au-dessus de la couchette, mais je ne voyais pas Ariane et je pouvais seulement supposer qu'elle avait retiré son costume de bain comme moi le mien. Devant le lavabo j'avais une serviette nouée autour de la taille, mais je supposais qu'Ariane n'aurait aucun désir de s'envelopper dans des serviettes.

— Eh bien, tu fais très sérieusement ton travail, Allert, dit-elle dans mon dos. Mais tu ne voudrais pas te dépêcher un peu ?

— Il m'en reste deux, dis-je au miroir vide que la vibration du bateau faisait légèrement trembler. Deux seulement. Et regarde. On dirait ceux d'une enfant.

— Mais, Allert, tu m'as l'air d'être devenu fétichiste !

— Oui, dis-je pesamment en levant la tête vers la glace. Oui, je suis délibérément fétichiste.

Je m'approuvai moi-même d'un hochement de tête, j'engloutis mes mains jusqu'aux poignets pour frotter le petit dessous étroit qui glissait sous mes doigts comme du satin sur une cuisse en sueur. Je me sentais heureux, à demi nu devant le lavabo en train de laver les six slips naguère blancs d'Ariane. Ils n'étaient pas neufs, ces slips, et à l'entre-jambes de chacun il y avait une tache indélébile qui me paraissait touchante.

« Voilà. Tu vois ? J'ai fini. Maintenant on va les suspendre pour les faire sécher. »

Mais ce jour-là, les sous-vêtements mouillés d'Ariane, dont je m'étais occupé avec une satisfaction si prolongée et attendrie, restèrent entassés dans le lavabo de porcelaine. D'un seul coup j'oubliai totalement les slips humides d'Ariane (qui me rappelaient les vitrines des magasins de lingerie que je contemplais autrefois dans mon adolescence à Breda) car à cet instant je découvris en me retournant que, comme je m'en doutais, elle ne s'était pas enveloppée dans une serviette, mais que là, à l'autre bout du lit chiffonné, le vent dans les cheveux, les jambes remontées et les chevilles croisées, elle était loin de l'état de nudité totale où je pensais, où j'espérais même la trouver. Pourtant je ne fus pas déçu.

Je ne savais comment réagir, j'éprouvais une certaine incrédulité et un respect qui me coupait le souffle. Pourtant je n'étais pas déçu. Car Ariane se trouvait devant moi ceinte uniquement de ce qui paraissait être le crâne fendu et les cornes d'une chèvre d'assez petite taille et morte depuis longtemps. On aurait dit qu'un vieil artisan avait pris une hache et avait nettement retranché la partie supérieure du crâne d'une petite chèvre, la partie renfermant le front en pente, les orbites, une fraction du nez et même des cornes recourbées, et, sur une lointaine plage de légende, avait séché le crâne et les cornes au soleil, dans les herbes, dans un nid d'épineux, sur

un rocher blanc, préparant et polissant ce trophée
pour le jour où il deviendrait le mythique et unique
vêtement d'une jeune fille. Ce qui restait du front
et du nez, un triangle poli terminé par quelques
lamelles d'os blanc, était bien calé au creux du
bassin nu de ma svelte amie. Le crâne de chèvre
était un bouclier qui protégeait parfaitement son
sexe, et la partie du crâne qui avait autrefois corres-
pondu au nez de la chèvre et à une partie de sa
bouche prêtait même une voix pressante et silencieuse à l'orifice vivant qu'il dissimulait maintenant.
Les cornes se recourbaient autour de ses cuisses. Sur
la cuisse droite, maintenue entre la courbe de la
fine corne et la courbe de son corps, Ariane portait
une rose rouge. Je compris qu'elle avait dû la prendre
parmi celles du vase de cristal taillé qui ornait notre
table à déjeuner.

« Allert », dit-elle enfin devant mon silence perplexe et admiratif, « comment trouves-tu mon costume pour le bal du navire ? »

Lentement je secouai la tête. Le bikini d'os et de
corne formait un contraste extrême avec le sexe caché
et vulnérable de ma jeune amie. J'eus le sentiment
que la serviette autour de ma taille ne me causait
qu'une irritation vaine et indéniable.

— Oui, dis-je avec douceur, tu es l'enfant de
Schubert. Qui d'autre que mon Ariane allierait sa
délicatesse personnelle au crâne de l'Eros animal ? Et
la rose, la rose. C'est un costume admirable. Admirable. Mais pas pour le bal du navire.

— Mais j'ai promis au commissaire, Allert. Que
faire ?

— Tu vas cesser immédiatement de me taquiner.

— Bien, mon pauvre Allert. C'était une taquinerie. J'irai au bal déguisée en officier de marine. Es-tu satisfait ?

— Tout à fait ! dis-je alors en laissant tomber ma serviette. Tout à fait.

Je m'assis à côté d'elle sur la couchette. J'enlevai la rose. Je saisis les deux cornes et je humai les poils foncés et vivants et les draps froissés et l'air de la mer. Doucement je tirai sur les cornes jusqu'à ce qu'elles se détachent d'elle avec un bruit de succion, presque imperceptible. Je ne pouvais croire à ce que la cavité crânienne de la chèvre révéla alors. Le crâne tomba par terre mais sans se briser. J'enfouis ma svelte amie dans ma chair, énorme vieil amant envahi de gratitude pour la jeune fille, la générosité, le désir et la hache qui avait jadis brisé le crâne.

Etre si ardemment attendu, qu'y avait-il de mieux ?

Plus tard, alors qu'Ariane était à genoux, la tête et les épaules passées à travers le hublot, et que mes mains aux doigts écartés comme deux grosses étoiles de mer tenaient ses fesses luisantes et continuaient à les presser pour connaître les sensations de sa chair juvénile, ce fut alors que je la suppliai de ne pas aller au bal du navire. Je ne savais pas pourquoi, lui dis-je, en changeant de position pour appuyer contre ses fesses ma joue volumineuse, mais je préférais nettement qu'elle n'allât pas au bal. Pourquoi s'habiller, lui demandai-je, pourquoi quitter sa cabine ? Cela ne nous entraînerait qu'à des festivités avinées. Pourquoi ne pas rester en bas et, si cela nous tentait, écouter par le hublot la musique de la soirée ?

Mais elle insista.

*

— Pourquoi ? Pourquoi ? Pourquoi ? disait-elle.
Pourquoi faut-il toujours que tu essayes de mythi-
fier notre vie sexuelle. Pourquoi ne viens-tu pas
dans mon lit baiser au lieu de rêver ?

— Mais Ursula, dis-je, fronçant les sourcils et
me levant de mon fauteuil. J'essaye seulement de
traduire en mots la pensée sensuelle. Je ne voulais
pas t'offenser.

— Comme tu es naïf, Allert, naïf. Si je te per-
çais le flanc, il n'en sortirait que l'odeur d'une bouffée de ton cigare. Tu es l'être le moins sensuel que
j'aie jamais connu. Il y a une différence entre le
gabarit et la sensualité.

Elle quitta la pièce. A travers la vitre de la fenêtre j'arrivais à sentir l'odeur de la neige dans la
nuit. Je regrettais d'avoir offensé Ursula.

*

La petite pieuvre pendait comme le cadavre d'une
jeune fille au soleil.

*

« Allert, appela-t-elle, veux-tu venir ? »
C'est alors, au moment où je regardais par la vitre
transparente sa petite auto anglaise blanche attendant dans la neige, que je compris que j'allais en
fin de compte être invité à prendre part à la céré-
monie de son départ. Et rien ne se passait comme
je l'avais imaginé, puisqu'elle prenait sa propre voi-

ture et pas celle de Peter ou notre coupé familial, et
puisque c'était l'aube, et puisqu'il n'y avait pas
d'homme au volant de l'auto, et puisqu'elle ne faisait
aucun mystère de son départ.

« Allert ? Veux-tu venir ? »

En arrivant en haut de l'escalier, corpulent et
enveloppé dans ma robe de chambre, je trouvai
Ursula qui pour la dernière fois parcourait sa chambre du regard. Ses bagages, rien qu'un sac à main,
une petite valise apparemment en agneau très souple
et quelque chose qui ressemblait à un sac à matelot
fait du même cuir, étaient alignés à ses pieds le
plus simplement du monde. Elle portait un pantalon
blanc, un tricot rouge, un foulard rouge pour protéger ses cheveux dans le petit cabriolet, et des gants
de sport de la même couleur que ses bagages.

— Voyons, dis-je, pourquoi pars-tu ? Je veux dire,
pourquoi ne m'obliges-tu pas à m'en aller, gardant
pour toi-même la maison et les autos ? N'est-ce pas
ce qui se fait d'habitude ? Tu n'as pas besoin de te
montrer généreuse à mon égard. J'aurais cru que
dans cette situation tu aurais aimé avoir le réconfort
d'un logis familier ?

— Si j'ai besoin de quelque chose, dit-elle d'une
voix douce, je te téléphonerai.

Je remarquai qu'elle avait mis du rouge sur ses
lèvres charnues et que son pantalon blanc était
extrêmement serré et net. Je l'avais connue de toutes
les manières et pourtant je ne la connaissais absolument pas. A présent elle portait pour voyager des
vêtements que je ne lui avais jamais vus, et déjà
elle était lointaine, séduisante, étrange et affairée
dans cette chambre, encore pleine de la confusion de
sa nature nonchalante. Le lit défait, l'édredon et la

chemise de nuit en satin tombés à terre, tout cela lui était manifestement indifférent.

Elle me dit qu'elle avait déjà mangé son petit pain et bu son café. Ce n'était simplement pas l'Ursula avec qui j'avais vécu tant d'années.

Elle mit son sac en bandoulière, je me chargeai des bagages. Dehors il faisait beaucoup trop froid pour un homme plus vieux qu'elle et vêtu d'une robe de chambre, mais je restai là jusqu'à ce qu'elle fût hors de vue.

Elle était au volant, son foulard rouge volant déjà au vent, ses bagages posés sur le petit siège arrière.

« Tu vas avoir froid, dis-je. Où est ta veste ? »

Elle secoua la tête, elle mit en route le moteur dont le bruit me parut soudain familier, terriblement familier, et beaucoup trop fort, semblait-il, pour la petite voiture.

« Où vas-tu ? Je t'en prie, il faut que tu m'écrives une lettre. »

Elle secoua la tête, elle sourit, elle embraya.

« Ne te tracasse pas », dit-elle alors en m'adressant un sourire et parlant assez fort pour dominer le bruit du moteur, « tu trouveras quelqu'un. Tu trouveras une aimable petite amie pour écouter le récit de tes rêves. »

Puis elle s'en alla. Peut-être essayait-elle simplement de suivre les traces de mes pas. Mais elle ne reviendrait pas.

*

Peut-être devrais-je me faire interner aux Champs Sauvages. Peut-être devrais-je partir à la recherche du village de mon adolescence et de mon enfance.

Je pourrais aussi demander aux renseignements télé-
phoniques internationaux de me trouver le numéro
de Simone. Ou je pourrais m'enfermer à clé dans
l'auto gelée de Peter et me laisser asphyxier, ce
qui me permettrait sans aucun doute de rejoindre
mon ami défunt dans l'île des chèvres imaginaires.
Mais je ne ferai rien de tout cela.

Je me contenterai tout bonnement de songer et de
rêver, songer et rêver. Je rêverai de celle qui m'a
guidé jusqu'au terme du voyage, quelle qu'elle soit,
et je songerai à de la bouillie d'avoine, à du chou-
fleur, à du tabac, à de l'argile blanche, et à de l'eau
qui court dans un aqueduc romain.

*

Je ne suis pas coupable.

Dans la même collection
aux éditions Denoël

Imprimerie Carlo Descamps
Condé-sur-l'Escaut

1ᵉʳ trimestre 1975
Nᵒ d'édition : 4170
Nᵒ d'imprimeur : 818